Für Anna
zu Weihnachten 1983
von Gerlinde

rowohlts
monographien
herausgegeben
von
Kurt Kusenberg

# Michelangelo

in Selbstzeugnissen
und Bilddokumenten
dargestellt von
Heinrich Koch

Rowohlt

Dieser Band wurde eigens für «rowohlts monographien» geschrieben
Herausgeber: Kurt und Beate Kusenberg
Assistenz: Erika Ahlers
Schlußredaktion: K. A. Eberle
Umschlagentwurf: Werner Rebhuhn
Vorderseite: Michelangelo Buonarroti.
Zeitgenössisches Bildnis. Florenz, Uffizien (Foto Alinari)
Rückseite: Der Sieger, Florenz, Palazzo Vecchio (Foto Brogi)

Veröffentlicht im Rowohlt Taschenbuch Verlag GmbH,
Reinbek bei Hamburg, Dezember 1966

Gesetzt aus der Linotype-Aldus-Buchschrift
und der Palatino (D. Stempel AG)
Gesamtherstellung Clausen & Bosse, Leck
Printed in Germany
780-ISBN 3 499 50124 4

35.–38. Tausend April 1983

# Inhalt

*Michelangelo Buonarroti. Stich von Giorgio Vasari*

Michelangelo war einsam. Er blieb einsam auch in seinem Ruhm. Während der Arbeit an den Deckengemälden der Sixtinischen Kapelle schrieb er seinem Bruder: *Ich bin gezwungen, mich mehr als andere zu lieben. Ich bin hier in großer Kümmernis und unter schwersten körperlichen Anstrengungen. Ich habe keinen Freund, will auch keinen haben.*[1*]

Dieses Bekenntnis fixiert die Grundsituation seines Lebens. Er konnte nur in Einsamkeit tätig sein. Der Hang zu ihr war ihm eingeboren. Die Umwelt, gegen die er sich abschloß, oft rücksichtslos und grob, konnte ihn nicht verstehen. Sie sah in ihm einen launenhaften Sonderling, einen hochmütigen Phantasten, einen zornigen Mißvergnügten. Michelangelo hat diese Beurteilung zurückgewiesen. In einem Gespräch, das der portugiesische Maler Francesco de Hollanda aufgezeichnet hat, erklärt er vor Vittoria Colonna und anderen Vertrauten: *Man pflegt tausend Lügen über bedeutende Maler zu verbreiten. Sie sollen seltsam, unverträglich und schroff im Umgang sein, wiewohl sie doch auch nur Menschen sind ... Die vortrefflichen Maler sind aber nicht etwa aus Stolz wenig umgänglich. Sie finden eben nur selten der Malerei würdige und gleichgesinnte Geister. Auch wollen sie durch das hohle Geschwätz Müßiger ihren Geist nicht von den hohen Gedanken abgelenkt wissen, durch die sie ständig bezaubert werden ...*

*Es ist unbedacht und ein wenig vorteilhafter Handel, wenn sich einer selbstzufrieden von den Menschen absondert, denn er verliert dadurch seine Freunde und macht sich alle zu Gegnern. Es wäre nicht falsch, wenn man ihn deshalb tadelte. Verachtet aber einer leere Höflichkeit und überflüssige Heuchelei, weil seine Natur und der Einsatz seiner ganzen Kraft für seine Kunst es fordern, so erschiene es mir als ein großes Unrecht, ließe man ihn nicht nach seinem Geschmack leben. Und wenn ein solcher Mann so zurückhaltend ist, daß er nichts von Euch wünscht, warum wollt dann Ihr ihn belästigen? Weshalb wollt Ihr ihn zu jenen sinnlosen Nichtigkeiten herabziehen, die seine schöpferische Ruhe stören? Wißt Ihr nicht, daß es Wissenschaften gibt, die den ganzen Menschen beanspruchen und ihm keine freie Minute für Eure Müßiggängerei lassen? ... Ihr werdet kaum einen bedeutenden Menschen in seinem wahren Wert erkennen, und loben werdet Ihr ihn nur, um Euch selbst zu ehren, und weil es Euren Stolz kitzelt, daß er mit Papst und Kaiser verkehrt. Ich möchte behaupten, daß derjenige kein außergewöhnlicher Mensch ist, welcher der unwissenden Masse, nicht aber seiner Berufung dient, ebensowenig wie jener, der nichts «Einzelgängerisches» oder «Absonderliches» an sich hat, oder wie Ihr es sonst zu nennen beliebt. Die gewöhnlichen und alltäglichen Geistesgrößen kann man ohne Laterne auf den Marktplätzen der ganzen Welt finden.*

---

* Die hochgestellten Ziffern verweisen auf die Anmerkungen S. 165 f.

Michelangelo mußte seinen Zeitgenossen unbegreifbar bleiben. Der Widerstreit der Kräfte, in dem er lebte, strahlte nach außen, beunruhigte und verwirrte. Ein Mann, der selbst den Päpsten trotzte, einem Julius II. vor allem, wirkte unheimlich. Die Lügen, von denen Michelangelo spricht, fanden leicht Gehör. In das Charakterbild, das man sich von ihm machte, fügte sich jede skurrile Linie, jede düstere Kontur, aber auch jedes Glanzlicht. So bildeten sich Legenden um ihn, schwarze und weiße, gute und böse. Einige ließ er seinen Schüler Ascanio Condivi in seine Lebensbeschreibung aufnehmen, weil ihm die Verschleierung eines Sachverhaltes oder Geschehens lieber war und bequemer schien als die Aufdeckung der wahren Zusammenhänge. Andere Lügengespinste, Aretinos erpresserische Verleumdungen zum Beispiel, bedachte er mit beißender Ironie oder mit groben Worten.

Man sollte annehmen, die kritische Forschung habe die legendären Irrtümer und Fehldeutungen richtiggestellt. Das Gegenteil ist der Fall. Das Dickicht aus Legende und Fabel ist keineswegs verdorrt. Es wächst allen Rodungsversuchen zum Trotz weiter und wird überdies noch kultiviert.

Blättert man in namhaften Werken und schlägt darin jene Abschnitte auf, die sich mit dem Charakter Michelangelos befassen, so glaubt man, psychopathologische Gutachten zu lesen. Romain Rolland deutet Michelangelos Wesen auf folgende Art: «Der Schlüssel seines Mißgeschicks, das, was die ganze Tragödie seines Lebens erklärt – und das, was man am wenigsten gesehen hat – oder hat sehen wollen –, ist sein Mangel an Wille und seine Charakterschwäche.

Unentschlossen war er in der Kunst, in der Politik, in allen seinen Handlungen und in allen seinen Gedanken. Er konnte sich nicht entschließen, zwischen zwei Werken, zwei Plänen, zwei Parteien zu wählen. Die Geschichte des Standbilds Julius' II., der Fassade von San Lorenzo, der Mediceergräber, ist Beweis dafür. Er begann und begann und kam nicht ans Ziel. Er wollte und wollte nicht. Kaum hatte er seine Wahl getroffen, so begann er zu zweifeln. Am Ende seines Lebens brachte er nichts mehr fertig: er bekam alles satt. Man behauptet, daß seine Aufgaben ihm aufgedrungen wurden, und man läßt die Verantwortung für dieses beständige Schwanken zwischen dem einen und dem andern Plan auf seine Herren zurückfallen. Man vergißt, daß seine Herren keine Mittel hatten, sie ihm aufzuzwingen, wenn er entschlossen gewesen wäre, sie abzulehnen. Aber das wagte er nie.

Er war schwach. Er war schwach in jeder Hinsicht, aus Tugend und aus Schüchternheit. Er war schwach aus Gewissenhaftigkeit. Er quälte sich mit tausend Skrupeln, die eine energischere Natur verscheucht hätte. Er hielt sich für gezwungen, aus übertriebenem Verantwortungsgefühl mittelmäßige Arbeiten zu leisten, die zweifellos jeder Werkmeister an seiner Stelle besser verrichtet hätte. Er verstand weder, seine Verträge zu halten, noch sie zu vergessen.

Er war schwach aus Klugheit und aus Furcht... Er war schwach den Fürsten gegenüber... Er wollte die Päpste fliehen, und er blieb und gehorchte. Er ertrug die beleidigenden Briefe seiner Herren und beantwortete sie demütig. Bisweilen begehrte er auf, sprach stolz – aber er gab immer nach... Jede Würde verlor er in der Liebe... Plötzlich ergreift ihn panischer Schrecken. Dann flüchtet er, von der Angst gejagt, von einem Ende Italiens zum andern... Ach, er geht

*Florenz um 1490. Zeitgenössischer Holzschnitt*

soweit, selbst seine Freunde, die verbannten Florentiner, zu verleugnen!»[2]

Dieser Seufzer ist den Atem nicht wert. Rolland hat einen Brief Michelangelos an seinen Neffen Lionardo, der im tyrannisch regierten Florenz Cosimos I. lebte, falsch gedeutet. Das Schreiben stammt vom 22. Oktober 1547 und war die Antwort auf eine Warnung des Neffen vor einem Gesetz, das Cosimo I. vorbereiten ließ. Mit dieser Lex wollte der Medici die Republikaner durch Verbannung und Vermögenseinzug endgültig vernichten. Auch die außerhalb der Toscana lebenden fuorusciti sollten nicht verschont bleiben. Der Neffe fürchtete nicht nur um Michelangelos Besitz in der Heimat, sondern auch um sich. Denn es war nicht nur ihm bekannt, daß der Onkel in Rom mit den Gegnern Cosimos I. befreundet war, vor allem mit Roberto Strozzi, dem Sohn Filippos, des Anführers der republikanischen Armee, die 1537 von Cosimo I. bei Montemurlo geschlagen worden war. Dieser Roberto war außerdem mit der Schwester Lorenzinos, der Alessandro ermordet hatte, verheiratet.

Michelangelo schreibt:

*Lionardo.*

*Es ist mir lieb, daß Du mich von der Verordnung unterrichtet hast. Habe ich mich bis jetzt schon gehütet, mit Verbannten zu sprechen und zu verkehren, so werde ich mich in Zukunft noch mehr in acht nehmen. Was nun den Aufenthalt im Hause Strozzi während meiner Krankheit* (1544) *angeht, so bemerke ich dazu, daß ich ja nicht in ihrem Hause, sondern in dem Zimmer des Messer Luigi del Riccio gewohnt habe. Er war mir ein sehr guter Freund, und seit Bartolomeo* (Freund und Sekretär Michelangelos) *gestorben ist, habe ich keinen Menschen gefunden, der meine Geschäfte besser und treuer besorgt hätte als er. Nach seinem* (Riccios) *Tode aber habe ich in jenem Hause nicht mehr verkehrt; ganz Rom kann das wie auch meine Lebensführung bezeugen: daß ich immer allein bin, wenig ausgehe und mit niemandem spreche, vor allem nicht mit Florentinern. Wenn man mich aber auf der Straße begrüßt, so kann ich schließlich nicht umhin, den Gruß mit ein paar freundlichen Worten zu erwidern und dann weiterzugehen. Wenn ich wüßte, wer die Verbannten sind, so würde ich nicht einmal wiedergrüßen. Doch, wie gesagt, von heute an werde ich mich sehr in acht nehmen, ganz besonders, weil mich ganz andere Gedanken derart bedrängen, daß mir das Leben zur Last wird.*[3]

Da von dem Gesetz nicht nur die alten Feinde des Tyrannen, sondern auch deren Erben betroffen werden sollten, konnte Michelangelo, wollte er seine Familie, die Brüder Giovansimone und Gismondo und den Neffen, vor dem Zugriff Cosimos I. bewahren, nichts anderes tun, als seine republikanische Gesinnung zu verleugnen. Seine Zeilen waren kein Privatbrief. Sie waren, so merkt Herman Grimm an, «danach eingerichtet, in Florenz vorgelesen zu werden». Lionardo

*Michelangelo. Gemälde von Marcello Venusti (?). Rom, Galleria Capitolina*

konnte das Schreiben jederzeit dem Tyrannen oder einem seiner Häscher zeigen. Die sophistischen Dementis waren eine diplomatische Geste. Cosimo bemühte sich seit langem um den Künstler. Michelangelo wußte daher, daß der Herzog seine Erklärungen als ausreichend entgegennehmen würde. «Mit Feigheit oder Freundesverrat hatte dieses Schreiben nichts zu tun, Michelangelo blieb Republikaner. Seine Freunde blieben seine Freunde. Der Diktator war es zufrieden. Und der Neffe konnte unbesorgt um Leben und Eigentum in Florenz bleiben. Es änderte sich nichts.»[4]

Die «verleugneten» Freunde hätten den Inhalt des Briefes gebilligt, wäre er ihnen bekanntgeworden. Romain Rollands verfehlte Interpretation hat ihr Gegenstück bei Karl Frey, dem Herausgeber der Gedichte Michelangelos; dort heißt es: «Michelangelos Verhalten ist tief beschämend. Diesem Brief zufolge benimmt er sich geradezu charakterlos.»[5]

Die Psychopathologie ergänzt dieses Charakterbild auf ihre Weise. Lange-Eichbaum schreibt in seinem Buch «Genie, Irrsinn und Ruhm»: «Michelangelo war ein stark depressiver, reizbarer, maßlos affektiver, paranoider und hypochondrischer Psychopath von homoerotischem Charakter», und läßt dieser lapidaren Feststellung eine Zusammenfassung der Urteile anderer Autoren folgen: «Homosexuell, vielleicht nicht nur psychisch, denn Selbstvorwürfe im hohen Alter. Wirkliche Liebe zu dem Jüngling. Reizbar, Wutanfälle. Äußerste Empfindsamkeit, Wankelmut in der Zuneigung, plötzliche Sympathien, hochauflodernder Enthusiasmus, tiefe Beängstigung, Mißtrauen, viele Unbegreiflichkeiten und Inkonsequenzen. Kälte gegen das Weib. Hauptwerke: Männer. Pathologische Befürchtungen. Krankhafter Trübsinn. Sklave seines Schaffensdranges (fast wie Zwangsneurose). Rastlose Unruhe. Stark motorischer Typ. Depressiv; Klagen über eingebildetes Elend. Geizig. Viele schwere Krankheiten. Sehr mißtrauisch, paranoid, in ewiger Angst. Liebte das Leiden.»[6]

Es lohnt sich, in diesem Zusammenhang den Essay «Das Genieproblem»[7] zu lesen, mit dem Gottfried Benn im Jahre 1929 auf das Buch von Lange-Eichbaum einging – zumal darin viel von Michelangelo die Rede ist. Das Genie, so hat die Pathographie erforscht, entstammt meist hochgezüchteten Talentfamilien, die (wie die Buonarroti) einem geachteten Stand angehören, und es tritt häufig gerade dann auf, wenn «nach Generationen der Tüchtigkeit» die Familie zu entarten beginnt. «Genie», schreibt Benn, «ist eine bestimmte Form der Entartung unter Auslösung von Produktivität», die fast immer psychopathologische Züge aufweist, wobei Absonderlichkeit, mangelndes Anpassungsvermögen, Querulantentum, stark wechselnde Stimmungen, Melancholie und Hysterie noch die mildesten Erscheinungsformen bilden. «Das psychopathische Element ist ein unentbehrlicher Teilfaktor in dem psychologischen Gesamtkomplex, den wir Genialität nennen.» Mit Recht weist Benn auf eine Bemerkung von Kretschmer hin, der meint, «daß ein kräftiges Stück Gesundheit und Spießbürgertum zum ganz großen Genie dazugehöre, ein Stück, das ... an solider Pflichterfüllung, an Amt und Würden dem großen Genie erst jene Qualität von Fleiß, Stetigkeit und ruhiger Geschlossenheit verleihe, die seine Wirkungen weit über die lauten und vergänglichen Anläufe des Genialischen hinauszuheben vermöge». Damit ist, glauben wir, Michelangelos «Krankheitsbild» zumindest flüchtig umrissen.

Der gefährliche Erzlästerer Aretino hat versucht, Michelangelo zu erpressen. Als er nicht erhielt, was er forderte, schmähte er den Künstler, wie es zur Übung seines Metiers gehörte. Er bezichtigte ihn der Gotteslästerung und heidnischer Ideen, der Charakterlosigkeit und gleichgeschlechtlicher Liebe, des Undanks, Geizes und Betruges, der Dieberei. Es ist erstaunlich, wie virulent diese Giftspritzer bis heute geblieben sind.

Die Unklarheiten und Verzerrungen im überlieferten Bilde Michelangelos haben drei Ursachen: unkritische Übernahme zeitgenössischer Charakteristiken; zu frühe und daher fragmentarische Auswertung der Urkunden in den Jahren der ersten Archivfunde; geringe Beteiligung der Historiker.

Wie förderlich Michelangelos Selbstzeugnisse dem Versuch sind, sein wahres Wesen zu erkennen, sein Handeln und Denken recht zu begreifen, mag ein «Capitolo» beweisen, ein Scherzgedicht in Terzinen. Francesco Berni war der Meister dieser Gattung. Das satirische und burleske Capitolo wird nach ihm «Bernesco» genannt. «Etwas ins Lächerliche ziehen» heißt noch heute im Italienischen: «etwas ins Berneskische setzen». Berni war in den Jahren um 1534 mit Michelangelo und Sebastiano del Piombo befreundet. Der Bildhauer und der Dichter korrespondierten in bernischen Poesien.

Das Gedicht entstand etwa 1546. Michelangelo lebte damals nahe dem Trajansforum am Macel de' Corvi, am Rabenplatz, den er scherzhaft «Platz der Armen» zu nennen pflegte. Die Gegend war düster und schmutzig.

*Eng eingeschloss'en wie in seine Rinde*
*des Baumes Mark, leb einsam ich und ärmlich,*
*gleich einem Geist, gebannt in die Phiole.*

*Mein Grab ist dunkel und ist schnell durchflogen,*
*darin die Spinnen emsig, tausendfach*
*am Werk, sich selbst als Weberschiffchen nützen.*

*Ein Berg von Kot türmt sich vor meiner Pforte.*
*Wer Trauben aß, wer Medizinen schluckte,*
*dem dient der Platz hier zur Erleichterung.*

*Hier lernte ich des Harnes Wasser kennen*
*und auch ihr Ausflußrohr durch jene Ritzen,*
*die mich vor Tagesanbruch schon erwecken.*

*Detail aus der Tür zum Baptisterium von San Giovanni in Florenz. Von Lorenzo Ghiberti. Bronze, vergoldet*

*Wer Katzen, Aas, Lockvögel, Mist in seinem*
*Hausstand führt, bringt sie zu mir. Stört es mich,*
*darf ich sogar mit ihnen Umzug halten.*

*Das Innerste ist mir derart zerwühlt,*
*daß, selbst wenn der Gestank verduften sollte,*
*kein Brot und Käse mir im Magen blieben.*

*Husten und Schnupfen hindern, daß ich sterbe.*
*Weicht mir die Blähung unten leicht von hinnen,*
*so geht der Atem mühvoll aus dem Munde.*

*Ich bin erlahmt, geborsten und zerbrochen*
*durch meines Lebens Qualen. Und die Schenke,*
*in der auf Borg ich lebe, ist der Tod.*

*Den Frohsinn finde ich in dumpfer Schwermut,*
*und meine Qualen spenden mir Erholung.*
*Wer mag, dem möge Gott dies Elend schenken.*

*Wer am Dreikönigstage mich gewahrte,*
*wohl ihm, und mehr noch, sähe er mein Haus*
*inmitten hier der prächtigen Paläste!*

*Der Liebe Flamme ist in meinem Herzen*
*erloschen. Größre Not verjagt geringe.*
*Der Seele Flügel hab ich scharf gestutzt.*

*Ich brumm wie eine Hummel in dem Kruge.*
*In einem Ledersacke trage Knochen*
*ich und Sehnen, drei Steine in der Blase.*

*Des Blickes sichres Richtmaß ist zerbrochen.*
*Die Zähne sind wie einer alten Zymbel Tasten,*
*sie klappern, wenn die Stimme tönt.*

*Ein Bild des Schreckens zeigt sich mein Gesicht.*
*Die Kleider scheuchten ohne andre Waffe,*
*vom Wind bewegt, wohl Raben aus der Saat.*

*In meinem einen Ohr hockt mir die Spinne,*
*im anderen zirpt in der Nacht die Grille,*
*und der Katarrh macht schnarchen mich, nicht schlafen.*

*Und Amor und die Musen, blühnde Lauben,*
*was sind sie als Gekritzel und Gelumpe,*
*in Schenke, Gosse, Abort nun zu finden!*

*Hab ich so viele Puppen angefertigt,*
*damit mir's schließlich geh wie jenem Mann,*
*der's Meer bezwang und dann im Schlamm erstickte?*

*Die hochgepriesene Kunst, die einst mir Ruhm*
*geschenkt, hat mich dahin gebracht, daß ich*
*in Armut alt und Fremden untertan.*

*Ich bin vernichtet, kommt nicht schneller Tod.*[8]

Das Gedicht mag an einem Spätherbst- oder Winterabend, vielleicht auch in der Nacht geschrieben worden sein. Michelangelo ist einundsiebzig Jahre alt. Er beschreibt sein Haus, die Umgebung, schildert sein körperliches und seelisches Unbehagen, entwirft ein skurriles Selbstporträt. Er verspottet seine Arbeit, auch sein Dichten, und endet mit dem Gedanken an den Tod, der ihm seit mehr als zwanzig Jahren vertraut ist. Sein Wort ist bäurisch derb, sein Witz ätzend, sein Humor grimmig.

Das Haus, in dem er wohnt, ist bereits ein Teil seines Lebens geworden. In dem schweren, verwinkelten, turmbewehrten Gemäuer lebt er, ein Hieronymus im Gehäus, mehr als dreißig Jahre mit sich und seinem Marmorwerk allein. 1513 bezieht er es für knapp vier Jahre zum erstenmal. Dann muß er nach Florenz zurück. Er soll für Papst Leo X. die Fassade von San Lorenzo ausbauen. Der Plan wird nie ausgeführt. Das Werk geht bereits in den Marmorbrüchen von Pietrasanta in Trümmer. Von 1534 bis zu seinem Tode wird das Haus zum zweitenmal seine Wohnstatt. Das alte, große Gebäude enthält ein geräumiges Atelier, eine Stallung für Pferd und Maultier und hat einen Garten, in dem Feigen, Granatäpfel und Muskateller wachsen. Ein treuer Hausgeselle und anderes Dienstvolk gehen dem Alten zur Hand. Doch dem Hausstand fehlt die Ordnung. Es macht sich immer wieder bemerkbar, daß der Herr ein Junggeselle ist. Freunde und Vertraute haben des öfteren versucht, ihn zu einer Heirat zu bewegen. Sie sind der Meinung, daß es ihm zum Vorteil gereiche, wenn eine Frau das Haus regiere. Doch Michelangelo hat den Plan stets abgelehnt.

*Meine Kunst ist mein Weib, mehr als genug, denn sie hat mich zeitlebens gequält. Und meine Kinder sind die Werke, die ich hinterlasse. Sollten sie auch nicht viel taugen, so werden sie doch eine Weile leben. Wehe dem Lorenzo di Bartoluccio Ghiberti, hätte er nicht die Türen von San Giovanni geschaffen! Denn Kinder und Enkel haben alles, was er ihnen vermachte, verkauft oder verkommen lassen. Die Türen allein sind noch da.*[9]

Nach dem Tode Michelangelos vermietete Lionardo, sein Neffe und Erbe, das Haus an Daniele da Volterra. Dieser starb, bevor er es beziehen konnte. Im 19. Jahrhundert wurde es abgerissen. Auch der alte Rabenmarkt existiert nicht mehr.

Michelangelos römisches Haus also stand an einem Ort, der einst,

*Michelangelo. Bronzebüste von Daniele da Volterra. Paris, Louvre*

als das antike Imperium den Höhepunkt seiner Macht erreicht hatte, das Herz der Urbs war. Trajans Markt, das größte und schönste Forum der Kaiserstadt, wurde zum Quirinal hin durch eine fünfstökkige Markthalle mit 150 Verkaufsständen abgeschlossen. Gegen Nordwesten erhob sich die mächtige Basilica Ulpia, in der auch Prozesse und Geldgeschäfte abgewickelt wurden. Hinter der Basilika lagen an dem Freiplatz, in dessen Mitte sich die Trajanssäule erhob, zwei Bibliotheksgebäude. Das eine beherbergte die griechischen Handschriften, das andere die lateinischen Codices sowie die kaiserlichen Urkunden. Nur die Säule stand noch fast unberührt, als Michelangelo sein Haus bezog. Die letzten Zeilen der Inschrift über der Sokkeltür hätten auch über seinem Lebenswerk stehen können: «ad declarandum quantae altidudinis mons et locus tantis operibus sit egestus» (um darzutun, von welcher Höhe der Berg abgetragen und mit wieviel Mühe der Platz [das Werk] aufgeführt wurde).

Die Schwermut, die das burleske Gedicht durchzieht, kehrt wieder in der Bronzebüste, die Daniele da Volterra nach seinem großen Freund und Meister geformt hat. Das Bildnis entspricht den zeitgenössischen Berichten über das Äußere Michelangelos sowie den Bemerkungen, die er selbst über seine körperliche Erscheinung macht. Bei Condivi heißt es: «Michelangelo ist von guter Leibesbeschaffenheit, eher sehnig und knochig als fleischig und fett. Er ist gesund, vor allem von Natur, aber auch durch körperliche Übung, durch Mäßigkeit im geschlechtlichen Verkehr und in der Ernährung. Als Kind war er kränklich und anfällig, als Mann hat er zwei Krankheiten durchgemacht. Seit einigen Jahren plagt ihn ein Blasenleiden ... Er hat stets eine gute Gesichtsfarbe gehabt. Sein Wuchs ist wie folgt beschaffen: Er ist von mittlerer Größe, breit in den Schultern; im Verhältnis zu diesen ist der übrige Körper zart. Die Form des Kopfes erscheint, von vorne betrachtet, rund ... Die Schläfen treten ein wenig über die Ohren hervor, die Ohren über die Wangen und diese über das übrige, so daß man den Kopf, verglichen mit dem Gesicht, als groß bezeichnen muß. Die Stirn erscheint en face viereckig; die Nase ist ein wenig eingedrückt, nicht von Natur, sondern weil ihm in seiner Jugend ein gewisser Torrigiano di Torrigiani, ein brutaler und frecher Bursche, mit der Faust beinahe den Nasenknorpel herausgeschlagen hat, so daß er wie tot nach Hause getragen wurde ... Doch steht die Nase, so wie sie nun einmal ist, im rechten Verhältnis zur Stirn und zum übrigen Gesicht. Die Lippen sind schmal; die Unterlippe ist etwas voller, so daß sie, von der Seite gesehen, ein wenig hervorzutreten scheint. Das Kinn paßt gut zu den beschriebenen Partien. Im Profil ragt die Stirn ein wenig über die Nase hinaus, und diese würde fast gerade erscheinen, wenn sie nicht in der Mitte einen kleinen Buckel hätte. Die Augenbrauen haben wenig Haare. Die Augen, die eher als klein bezeichnet werden müssen, sind hornbraun; ihre Farbe ist veränderlich und mit gelblichen und bläulich schimmernden Flecken durchsetzt. Die Ohren sind normal, Haare und Bart schwarz; nur sind sie jetzt, da er 79 Jahre ist, reichlich grau gesprenkelt. Der Bart ist gegabelt, vier bis fünf Finger lang und nicht sehr dicht, wie man es zum Teil auf seinem Bildnis sehen kann.»

Die äußere Erscheinung Michelangelos ist uns also recht gut bekannt. Die Kenntnis seines Charakters bleibt lückenhaft und wird kaum jemals ganz erhellt werden können. Wenn auch erfreulich viel Urkundenmaterial erhalten ist, so fehlt doch bis heute für wichtige Lebensabschnitte eine zureichende Dokumentation.

*Das Geburtshaus in Caprese*

*Landschaft bei Caprese*

Am 6. März 1475 (nach der damals in Florenz üblichen Zeitrechnung: 1474) machte Lodovico di Lionardo di Buonarroti Simoni, Bürgermeister und Friedensrichter zu Caprese und Chiusi, die folgende Eintragung in sein Familienbuch:

«Ich vermerke, daß mir heute, am 6. März 1474, ein Junge geboren wurde. Ich gab ihm den Namen Michelagniolo; und er wurde geboren am Montagmorgen gegen vier oder fünf Uhr, und er wurde mir geboren, als ich Podestà von Caprese war; und er wurde in Caprese geboren. Und Gevattern waren die unten Genannten. Er wurde am 8. dieses Monats in der Kirche des heiligen Giovanni von Caprese getauft...»[10]

Caprese, in der romantischen Hügellandschaft des oberen Tibers über dem Tal des kleinen Nebenflusses Singarna gelegen, war mit dem Flecken Chiusi verwaltungsrechtlich vereinigt. Die Bürgermeister, die jeweils für ein halbes Jahr bestellt wurden, residierten abwechselnd in einem der beiden Orte. Der Podestà mußte Florentiner Bürger, Guelfe und Popolane, das heißt, er durfte kein Adeliger, kein Grande, sein. Michelangelos Vater Lodovico erfüllte die Bedingungen. Die Simoni, wie die Buonarroti ursprünglich hießen, gehörten zu den angesehensten Familien der Arno-Stadt und entstammten wie die Medici dem popolo grasso, dem fetten Bürgertum, das zwischen der Aristokratie und dem niederen Volk, dem popolo minuto, stand. Die guelfische Parteigängerschaft des Geschlechts läßt sich weit zurückverfolgen. Bereits 1260, zehn Jahre nach der ersten Volkserhebung, die das Adelsregiment einschränkte, ein Lustrum vor Dantes Geburt, bekleidete ein Michele di Buonarrota di Bernardo Simoni eine führende Stellung in der guelfischen Miliz. Der Bankier Buonarrota, Michelangelos Urgroßvater, der ein bedeutender Mann gewesen sein muß, wird für 1392 als Mitglied des Parteivorstandes ausgewiesen. Zur Erinnerung an ihn nannte sich die Familie fortan Buonarroti Simoni. Seit der Mitte des 14. Jahrhunderts waren viele Buonarroti Bürgermeister, Ratsmitglieder oder Bürgerschaftsvertreter ihres Wohnbezirkes Santa Croce. Die Beteiligung an Regierungs- und Parteigeschäften war Familientradition. Nicht nur der Vater, auch der Onkel Francesco und der Bruder Buonarroto wurden mit wichtigen Ämtern betraut. Michelangelos Berufung zum Festungsbaumeister während der Belagerung durch das kaiserliche Heer ist bekannt. Er hat auch sonst Anträge auf Übernahme eines Magistrats empfangen. Das geht aus einem Brief hervor, den er im August 1527 an seinen Bruder Buonarroto schrieb: *Man hat mir heute ein Amt angetragen. Es führt den Titel Außerordentlicher Sekretär des Fünferrates. Man sagt, die Bestallung gelte für ein Jahr und bringe monatlich vier Dukaten. Außerdem gestatte das Amt, nach freiem Ermessen zu handeln. Ich weiß nicht, ob ich mich ihm gebührend widmen kann. Ich muß es nun ablehnen oder weitergeben oder von einem anderen verwalten lassen.*[11]

Der Magistrat der «Fünf Zensoren der Finanzen und Rechtspflege» war nach der dritten Vertreibung der Medici in der wiedererstandenen Republik neu eingerichtet worden. Er führte Aufsicht über die Verwaltung des Staatsvermögens und über die Jurisdiktion, insbesondere über die Durchführung der Verbannungsedikte, die stets umfangreiche vermögensrechtliche Verfügungen zur Folge hatten. Das angebotene Amt war nicht unbedeutend. Der Sekretarius einer solchen Behörde bestimmte als ausführende Kraft maßgeblich die Entscheidungen. Entsprechend war der Posten dotiert. Es ist schwer, den Wert eines Florentiner Dukatens aus dem Jahre 1527 zu schätzen. Man setzt ihn keinesfalls zu hoch an, wenn man ihn mit zehn Goldmark von 1913 vergleicht; es gibt weit höhere Bewertungen. In jedem Falle war es ein gutes Salär, wenn man es mit anderen Besoldungen der Zeit vergleicht. So bekam zum Beispiel Machiavelli als Sekretär des Rates der Zehn und Chef der Staatskanzleien für Krieg und Inneres, für zwei wichtige Ämter also, jährlich 100 Dukaten, das heißt: knapp doppelt so viel, wie Michelangelo für sein Amt erhalten sollte. Michelangelo lebte sehr bescheiden. Er wäre mit einem solchen Gehalt für sich allein gut ausgekommen. In einem Brief aus Rom zur Zeit der Arbeit unter der Decke der Sixtinischen Kapelle macht er eine aufschlußreiche Anmerkung über die Kosten seiner Lebenshaltung: *Vor einigen Tagen habe ich an Euch hundert Große Dukaten von dem Betrag geschickt, den ich hier für mich und meine Arbeit zurückgelegt habe. Ich tat es, weil mir das Geld dort sicherer aufgehoben zu sein scheint als hier. Ich bitte Euch ... zahlt es auf meinem Konto ein. Ich habe achtzig Dukaten für mich behalten. Ich nehme an, daß sie für vier Monate reichen werden.*[12]

Zwanzig Dukaten monatlich für Hausstand und Arbeit waren nicht viel. Es blieb für Michelangelo nur ein bescheidener Betrag übrig, wenn man die Gehälter für Diener und Gesellen, die Miete und die Kosten für das Arbeitsmaterial abzieht. Mehr als drei bis vier Dukaten monatlich waren es gewiß nicht.

Da Michelangelo sparsam war und mit jedem Quattrino (etwa ein Goldpfennig) rechnete, wollte er auf die Einnahme nicht verzichten und sich in dem Amt durch seinen Bruder Buonarroto vertreten lassen. Das war grundsätzlich möglich und üblich. Er erfuhr jedoch wenige Tage später von der Rechtswidrigkeit einer solchen Stellvertretung. Im Falle des Fünferrates konnte nur der Berufene persönlich die Tätigkeit ausüben. Daraus ergibt sich, daß der Institution eine hohe politische und staatsrechtliche Bedeutung zukam. Ihre Kontrollfunktionen umfaßten, auf moderne Verhältnisse übertragen, die Zuständigkeitsbereiche eines Rechnungshofes und Verfassungsgerichtes. Es leuchtet ein, daß der Kreis der geeigneten Persönlichkeiten für eine solche Schlüsselposition nicht groß war. Michelangelo empfahl sich durch seine Herkunft aus guelfischer Familie und durch seine republikanische Haltung. Außerdem genoß er das Ansehen, dessen der Repräsentant einer Behörde, die vornehmlich unbequeme Verfügungen zu treffen hatte, bedurfte.

Der Kampf zwischen Guelfen und Ghibellinen war in Michelangelos Jugend bereits Geschichte. Auch eine Parteiung in schwarze und weiße Guelfen gab es nicht mehr. Die Schwarzen hatten sich mit der endgültigen Vertreibung der Weißen behauptet. Dante gehörte zu diesen Verbannten. Seine Idee eines römischen Weltkaisertums blieb Traum. In den Höllenfeuern wechselnder Schreckensregimenter, die sich wohl durch ihre politischen Ziele, nicht aber in den terroristischen Scheußlichkeiten unterschieden, hatte sich das Guelfentum geläutert. Der Guelfe bekannte sich zur Freiheit der Republik nach innen und außen, gegen Papst und Kaiser und jeden landhungrigen Fürsten und gegen die Machtgelüste der Aristokratie innerhalb der eigenen Mauern. Für den Guelfen konnte die Regierung nur in den Händen des Volkes, der in den Zünften vereinigten Popolanen, liegen. In diesem Sinne war Michelangelo nach Herkunft und Überzeugung zeit seines Lebens Republikaner und Demokrat. Er hat sich nie damit abfinden können, daß die Freiheit seiner Heimatstadt durch den Mediceer Cosimo I. endgültig zu Grabe getragen worden war. Er wurde nie gleichgültig wie mancher seiner verbannten oder emigrierten Freunde. Einer dieser fuorusciti, Donato Giannotti, hat ein Gespräch mit Michelangelo, dessen Ratgeber Luigi del Riccio und dem Gelehrten Antonio Petreo aufgezeichnet, aus dem die strenge und unwandelbare Meinung des großen Freundes hervorgeht, sowie der Eifer, mit dem er sie zu verteidigen pflegte:

Michelangelo: *Ich muß die Antwort loben, die ein ehrbarer Mitbürger einem anderen gab, als dieser ihn fragte, ob er nicht einem gewissen Bunde, den einige Aufrührer gegründet hatten, beitreten wolle.*

Antonio: Was gab er zur Antwort?

Michelangelo: *Er antwortete, es genüge ihm, dem Bunde des Großen Rates anzugehören, denn dieser erscheine ihm als eine recht ehrenhafte Verbindung von großem Ansehen.*

Antonio: Das ist in der Tat die würdige Antwort eines guten und klugen Bürgers. – Ihr lacht?

Luigi: Wir lachen, weil Messer Michelangelo ein gewisses Thema angeschnitten hat, das ihm ganz besonders liegt. Und wenn wir ihn zulange dabei verweilen lassen, werden wir den ganzen Morgen nichts anderes zu hören bekommen als Jammern und Klagen über die Zeitläufte. Darum wollen wir uns etwas anderem zuwenden. Ich will nicht gerade sagen, überlassen wir den Großen Rat, Senat, Gesetze, Sitten und politische Gedanken ihrem Verderben, aber lassen wir sie dort, wohin Gott sie geführt hat, dessen Willen sich jeder Rechtschaffene und Einsichtige fügen muß.

Warum Michelangelo als Beispiel einer demokratischen Institution den Großen Rat zitiert, läßt sich nicht zureichend deuten. Savonarola setzte diesen Rat, eine Volksvertretung, die tausend Mitglieder zählte, als Träger der obersten Regierungsgewalt ein. Die Beantwortung der Frage könnte vielleicht die umstrittene Stellung des Künstlers zu dem Dominikaner klären. In jedem Fall bleibt es aufschlußreich, daß Michelangelo sich in einem Gespräch über staatliche Ordnung der Verfassung erinnert, die der Eiferer in der weißen Kutte einst Florenz gegeben hatte, beweist es doch, wie tief die Gestalt des Häretikers seinem Gedächtnis eingeprägt war. Als man von Savonarolas Bußpredigten zu sprechen begann, war Michelangelo ein Jüngling. Die seraphische Erscheinung gehört zu den nie vergessenen Bildern seiner Jugend.

Über Michelangelos Kindheit ist wenig bekannt. Der Vater zog nach Ablauf seiner Amtszeit, drei Wochen nach der Geburt des Kindes, mit der Familie von Caprese wieder nach Florenz. Der Kleine wurde im nahen Settignano, wo der Vater und dessen älterer Bruder Francesco ein kleines Gut besaßen, der Obhut und Pflege einer Amme anvertraut, der Tochter eines Steinmetzen, die auch mit einem Steinmetzen verheiratet war. Michelangelo pflegte später gern zu sagen: *Die Liebe zu Hammer und Meißel, mit denen ich meine Skulpturen bilde, habe ich schon mit der Ammenmilch eingesogen.*[13]

Es ist nicht überliefert, wann der Junge zum erstenmal nach Florenz geholt wurde. Da aber der Vater seine Tage gern in Settignano verbrachte, darf man annehmen, daß auch die Kinder sehr oft auf dem Lande lebten. Der Lebensraum ihrer ersten Jahre war die Landschaft des oberen Arno-Tals, über dem Settignano lag, waren Olivenhaine und Steinbrüche; ihre Spielgefährten waren die Kinder von Bauern und Steinmetzen. Vielleicht, so könnte man auf eine der vielen leeren Seiten von Michelangelos Lebenschronik zu schreiben versuchen, fand er dort unter den Steinmetzen einen tüchtigen Handwerker, der ungewollt und unbewußt sein erster Lehrmeister wurde, weil er ihn bei der Arbeit zuschauen ließ und ab und an die kindliche Neugier des aufgeweckten Jungen dadurch befriedigte, daß er ihm ein paar Werkgriffe zeigte. Man darf annehmen, daß der kleine Michelangelo, der ein Junge wie jeder andere war, seine Umwelt tätig in sein Spiel einbezog. Aus den frühen Jahren ist nur ein Dokument erhalten, dessen Echtheit allerdings angezweifelt wird. Das Mauerwerk des Hauses in Settignano trägt die undeutliche Holzkohlenzeichnung eines männlichen Oberkörpers. Sie wird von vielen Kunsthistorikern dem jungen Michelangelo zugeschrieben und als Darstellung Tritons oder eines Satyrs angesehen.

Als Michelangelo sechs Jahre alt war, starb seine Mutter Francesca. Sie hatte fünf Söhnen das Leben gegeben. Der Älteste, Lionardo, trat als Siebzehnjähriger in den Dominikanerorden ein. Nachdem er die Familiengemeinschaft verlassen hatte, rückte Michelangelo als zweiter Sohn in die Stellung des Erstgeborenen auf. Der dritte, Buonarroto, wurde Bankier und Kaufmann und führte kurze Zeit gemeinsam mit dem vierten Sohn Giovansimone, der im allgemeinen wie sein Vater ein tatenloses Leben einer geordneten Beschäftigung vorzog, eine Tuchhandlung. Der jüngste, Gismondo, soll Soldat gewesen sein. Vier Jahre nach Francescas Tod heiratete der Vater zum zweitenmal. Die Stiefmutter hieß Lucrezia Ubaldini. Der Bruder Matteo ist wahrscheinlich ihr Kind. Seine Existenz ist durch einen Brief erwiesen, den er 1520 an Michelangelo geschickt hat. Die klare und offene Art der Mitteilungen und die feste Handschrift berechtigen zu der Annahme, daß er ein aufrechter und ordentlicher Mann gewesen sein muß.

Lodovico und sein Bruder Francesco, der ebenfalls zum zweitenmal verheiratet war, führten mit ihren Familien und der hochbetagten Mutter in der Stadtwohnung, die in der Via de' Bentaccordi lag, einen gemeinsamen Haushalt. Man schlug sich recht und schlecht durch. Das kleine Gut in Settignano warf wenig ab. Lodovico verdiente nur, wenn er im Dienste der Kommune tätig wurde. Francesco besaß eine kleine Wechsel-«Stube», die aus zwei Tischen bestand. Der eine Tisch, dessen Einkünfte er mit einem Kompagnon teilte, war im Freien vor Or San Michele aufgestellt. Den zweiten hatte er in einem Schneiderladen für sich dazugemietet, um sein Geschäft auch bei schlechtem Wetter betreiben zu können. Seine Einnahmen waren gering. Dennoch war er besser situiert als Lodovico, der ständig Geldsorgen hatte. So führte Francesco nicht nur als der Familienälteste, sondern auch als der Überlegene das Regiment in der beengten Welt des düsteren Hauses.

Der väterliche Plan, Michelangelo eine gute Schulbildung zu geben und ihn Jurisprudenz studieren zu lassen, um ihn sorgfältig auf eine Beamtenlaufbahn vorzubereiten, war in der Familientradition wohlbegründet und vernünftig. So kam der Siebenjährige in die La-

*«Triton» oder «Satyr». Kohlezeichnung des zwölfjährigen (?) Michelangelo an einer Mauer des Hauses in Settignano. Um 1487*

*Zwei Figuren aus Giottos Fresko «Die Himmelfahrt des Evangelisten Johannes» in der Peruzzi-Kapelle, Santa Croce, Florenz. Federzeichnung von Michelangelo, Anfang der neunziger Jahre. Paris, Louvre*

teinschule des Francesco da Urbino. Er war kein schlechter discipulus und zu aufgeweckt, als daß ihm der Unterricht Schwierigkeiten bereitet hätte. Doch benutzte er die Feder lieber zum Zeichnen als zur Niederschrift grammatikalischer Exerzitien. Die Kunstschätze der Stadt waren zu nah, es arbeiteten zuviel Künstler in Florenz; Michelangelo konnte sich ihnen nicht entziehen. Er mußte sehen, kopieren, zuschauen. Die Lehrbuben der Meister und junge Künstler wurden seine Freunde. Unter ihnen begegnete er Francesco Granacci, der ihn in die Werkstatt seines Lehrers Ghirlandaio einführte. Als Vater und Onkel erfuhren, daß Michelangelo auf Pfaden spazierte, die für sie Abwege bedeuteten, setzte es Prügel. Künstler waren nach ihrer Meinung Handwerker und gehörten zum popolo minuto. Ein Maler galt ihnen so wenig wie irgendein kleiner Krämer, und zwischen einem Bildhauer und einem Steinmetzen sahen sie keinen Unterschied. Dem Jungen aber standen als einem Buonarroti nach ihrer Meinung die höchsten Ämter der Republik offen. Lodovico und Francesco sahen ihn bereits als Prioren, als Gonfalonieren. Wenn auch ihre Auffassung schon ein wenig altväterisch war, so entsprach sie doch noch der sozialen Ordnung der Zeit. Erst mit dem 16. Jahrhundert rechneten die bildenden Künste nicht mehr zu den artes mechanicae, sondern zu den artes liberales.

Der junge Michelangelo widerstand erfolgreich allen Vorwürfen, Strafen und Züchtigungen. Er setzte seinen Kopf durch. Der Vater schloß am 1. April 1488 mit den Brüdern Domenico und Davide Ghirlandaio einen dreijährigen Lehrvertrag für den Sohn ab.

Aus dieser Zeit sind ein paar Federzeichnungen erhalten, darunter ein Blatt nach Giottos Fresko «Die Himmelfahrt des Evangelisten Johannes» und eines nach Masaccios «Zinsgroschen». Bemerkenswert an den ersten Arbeiten ist das Bemühen, die Gewänder in ihren Faltenwürfen den Bewegungen der Gestalten anzupassen.

Michelangelo blieb nur ein Jahr in der Werkstatt Ghirlandaios. Lorenzo de' Medici nahm ihn in seine neugegründete Kunstschule auf. Als Grund für diesen Wechsel führt Condivi, also Michelangelo selbst, den Zufall und wiederum den eifrigen Granacci, Vasari dagegen Ghirlandaios Empfehlung an. Condivi behauptet, Ghirlandaio sei ein wenig eifersüchtig gewesen, nicht nur auf Michelangelo, sondern auch auf seinen Bruder Davide. Außerdem, so fährt der Biograph fort, habe Domenicos Sohn Ridolfo gern die «ausgezeichneten und erhabenen Leistungen Michelangelos zum großen Teil dem Unterrichte seines Vaters zugeschrieben, obwohl dieser ihm doch keinerlei Hilfe gewährte». Condivi beschließt die «kleine Abschweifung» mit der Anmerkung: «Trotzdem beklagt Michelangelo sich nicht darüber, vielmehr lobt er Domenico als Künstler wie als Menschen.» Michelangelo hatte sich zuweilen genötigt gesehen, auf die völlige Unabhängigkeit seiner Kunst hinzuweisen. Er hielt es daher für richtig, diese Tatsache in seiner Lebensbeschreibung zu bekräftigen. Ob es einen äußeren Anlaß gegeben hat, Ridolfo, den Sohn seines Lehrers, oder einen anderen zurechtzuweisen, wissen wir nicht. Bedenkt man, daß Michelangelo seine Meinung über andere sehr derb und eindeutig zu formulieren wußte, wenn es ihm notwendig schien, so können dieser zurückhaltende Exkurs über Ghirlandaio und die Bemerkung, daß der Lehrer ihm keine Hilfe gewährt habe, nicht, wie geschehen, so gedeutet werden, als sei irgendein Zerwürfnis zwischen Meister und Schüler die Ursache für den vorzeitigen Abbruch der Lehrzeit gewesen. Michelangelo war fast achtzig Jahre alt, Ghirlandaio war seit sechzig Jahren tot, als Condivis Biographie erschien. Das Lob, das er der Kunst und dem Charakter seines Lehrers spendet, ist keine höfliche Floskel, sondern ein Wort der Achtung vor einem Mann, der die Begabung seines Schülers nach Kraft und Art erkannt und auf den richtigen Weg gewiesen hatte. Außerdem vermittelte ihm Ghirlandaio als Meister der Fresken von Santa Maria Novella unbezweifelbar technische Kenntnisse. Der Schulwechsel wird sich daher so vollzogen haben, wie es Vasari berichtet. Lorenzo de' Medici forderte unter anderen auch Ghirlandaio auf, ihm für die geplante Bildhauerschule im Garten und Casino von San Marco geeignete Zöglinge zu empfehlen. Domenico schickte ihm seine besten Schüler: Michelangelo Buonarroti und Francesco Granacci.

# BÜCHER UND BAUTEN

Der eifrige kleine Gelehrte Tommaso da Sarzana pflegte zu sagen: «Zwei Dinge würde ich erwerben, sollte es mir je möglich sein, mich an sie zu verschwenden: Bücher und Bauten.» Er erfüllte sich den einen wie den anderen Wunsch während seines Pontifikats. Als Papst nannte er sich Nikolaus V. Er sammelte den Grundstock zur Vaticana und ließ umfassende Pläne für die architektonische Erneuerung Roms entwerfen, die aber nur zum geringen Teil ausgeführt wurden. Unter diesen Projekten befand sich auch ein Entwurf für den Neubau der Peterskirche. Nach einem Jahrhundert sollte die Bauleidenschaft des «besten der Renaissancepäpste» ihren Widerhall im Genius des Mannes finden, der die Kuppel über San Pietro wölbte.

Das Bekenntnis zu den beiden Passionen seines Jahrhunderts, das Nikolaus ablegte, als er noch ein unbekannter Geistlicher und Cosimos de' Medici Bibliothekar war, hat der führende Buchhändler und Verleger des Quattrocento, Vespasiano da Bisticci, überliefert. Seine «Lebensbeschreibungen berühmter Männer des 15. Jahrhunderts»[14] sind zu Unrecht nur noch den Fachgelehrten bekannt. Vespasiano ist wie Michelangelo in beschränkten Verhältnissen aufgewachsen. Da ihm die Mittel zum Studium fehlten, verband er Broterwerb und Befriedigung des Wissensdurstes miteinander, indem er seltene Manuskripte kopierte. Er war darin so erfolgreich, daß er bald Abschreiber verpflichten mußte, um alle Aufträge, die an ihn herangetragen wurden, erfüllen zu können. Mit den Jahren wurde aus dem kleinen Kalligraphen ein gelehrter Verlagsbuchhändler, der einen Cosimo de' Medici zu seinen wichtigsten Kunden zählte. Für Cosimo lieferte er auch die ersten 200 Bände der Bibliothek des Klosters von Badia di Fiesole nach einem Verzeichnis, das Nikolaus V. ausgearbeitet hatte. 45 Kopisten schrieben 22 Monate daran. Der Medici war ein eifriger Büchersammler. Neben anderen kundigen Freunden beriet ihn vornehmlich Niccolò Niccoli, ein begüterter Florentiner, der sein ganzes Vermögen in Büchern anlegte. Durch ihn kam der beste Plinius aus einem Lübecker Kloster in Cosimos Besitz. Im Auftrage Niccolis hielt Poggio Bracciolini in süddeutschen, rheinischen und burgundischen Klöstern Umschau nach wertvollen Manuskripten. Viele andere wißbegierige und büchernärrische Männer, deren Namen vergessen sind wie die der Niccoli, Poggio und Vespasiano, sammelten mit Eifer und unberührt von einem kriegerfüllten und konzillüsternen, zerrissenen Europa den Gegenstand, der das Denken und Forschen der besten Geister zu beleben und zu erneuern vermochte.

Bücher und Bauten, junge Gelehrsamkeit und Kunst, bestimmten das geistige Klima des akademischen Raumes, den Michelangelo betrat, als sich ihm die Bildhauerschule des mediceischen Gartens öffnete.

Lorenzo il Magnifico, der Prächtige, wie ihn Florenz nicht wegen eigener Prunksucht nannte, sondern wegen des Glanzes, den er seiner Stadt verlieh, konnte das Korn ernten, das Cosimo und Nikolaus V. mit ihrem Kreis kluger Freunde gesät hatten. Zwei der reichsten Garben waren die beiden Akademien, die philosophische und die Kunstakademie. Mit Instituten, die heute ihren Namen dem athenischen Hain des Heros Akademos entleihen, hatten die mediceischen Pflegestätten des Geistes und der Kunst nichts gemein. Die Verbände der beiden Arbeitsgemeinschaften entbehrten jedes Zwanges. Die reiferen hommes de lettres wie die jungen Eleven fanden eine Verpflichtung nur in sich selbst, die einen zu wissenschaftlichen und literarischen Disputationen, die anderen zu bildhauerischen Übungen. Man kannte weder Regeln noch Vorschriften. Es gab keine Gesetze, auch keine ungeschriebenen. Die platonischen Akademiker trafen sich an keinem bestimmten Ort, sondern dort, wo es ihnen Freude machte, irgendwo in der Stadt selbst, im Dom oder im Palazzo Medici oder bei einem Freund auf einem Gut der näheren Um-

*Lorenzo de' Medici, genannt il Magnifico. Gemälde von Giorgio Vasari. Florenz, Uffizien*

*Detail aus der «Schlacht» von Bertoldo di Giovanni. Hochrelief, Bronze. Florenz, Museo Nazionale*

gebung, in der Badia di Fiesole oder auch im Garten von San Marco, so daß die Jungen teilhatten an den Gedanken der Alten. Das einfachste Reglement, jede noch so freie Satzung hätte Lorenzos Auffassung widersprochen, daß nur jener Zwang einer schöpferischen Kraft zuträglich sei, den ihr der Gegenstand, an dem sie sich mißt, abfordere. Das Hingegebensein an die Sache allein war den Medici und ihren Freunden seit Cosimo das gültige Maß für jedes Wirken, auch für politisches Tun. Darin vor allem begegneten sie Platon und darin gründete ihr Recht, den Bund eine Akademie zu nennen. Für sie gilt, was Platon in einem seiner Briefe sagt: «Vor mir selbst wenigstens gibt es keine Schrift über diese Gegenstände, noch dürfte eine erscheinen; läßt es sich doch in keiner Weise, wie andere Kenntnisse, in Worte fassen, sondern indem es, vermöge der langen Beschäftigung mit dem Gegenstande und dem Sichhineinleben, wie ein durch einen abspringenden Feuerfunken plötzlich entzündetes Licht in der Seele sich erzeugt und dann durch sich selbst Nahrung erhält.»[15]

Leiter der Kunstschule war Bertoldo di Giovanni, ein Schüler Donatellos, ein hervorragender Erzbildner und Ziselierer, erfahrener Bildhauer und ein kenntnisreicher Freund der Antike, der seine Eleven durch handwerkliche Meisterschaft und pädagogische Behutsamkeit recht zu lenken verstand. Lorenzo de' Medici traf eine vorzügliche Wahl, als er ihn zum Betreuer der jungen Bildhauer und zum Kustos seiner Sammlungen ernannte. Bertoldo war mit dem Medici befreundet. Er wohnte in dem Palazzo an der Via Larga.

Als Lorenzo die Begabung Michelangelos erkannt hatte, gab er ihm ebenfalls ein Zimmer in der Nähe seines Lehrers und ein gutes Taschengeld. Er wußte um die spießige Enge im Hause der Buonarroti. So wird er den begabten Jungen nicht nur aus Zuneigung als Familiaren enger an sich gebunden haben, sondern auch aus Fürsorge; es wird seine Absicht gewesen sein, Michelangelo den Weg in die neue Welt der Bücher und Bauten dadurch zu ebnen, daß er ihm kleinliche Ablenkungen des Alltags ersparte.

Mit dem ersten Schritt in die Mezzaninkammer des mediceischen Stadtpalastes ließ der Fünfzehnjährige die Jugend hinter sich. Er wurde nun Haus- und Tischgenosse Lorenzos und seiner Söhne, des unglücklichen Piero, des gleichaltrigen Giovanni, der zwei Jahrzehnte später als Leo X. den Stuhl Petri besteigen sollte, und des jüngeren Giuliano, dessen Bildnisstatue er meißelte, als die Medici zu Tyrannen wurden. Von nun an gehörten auch die akademischen Freunde seines väterlichen Mentors zu seinem engsten Lebenskreis. War er ihnen bis dahin nur ab und an im Garten von San Marco begegnet, so teilte er jetzt mit ihnen Tisch und Brot und Gespräch.

Die Gründung der Akademie ging zurück auf Lorenzos Großvater Cosimo. Er empfing die Anregung durch den griechischen Neuplatoniker Gemisthos Plethon, der mit anderen Gelehrten im Gefolge des byzantinischen Kaisers Johannes Paläologus VIII. nach Ferrara gekommen war. Dort hatte Papst Eugen IV. im Januar 1438 das Unionskonzil der westlichen und östlichen Kirchen eröffnet. Der Kaiser hatte um Hilfe für sein aufgesplittertes, von den Türken zu einem ärmlichen Kleinstaat zusammengepreßten Reich gebeten. Und der Papst hatte abendländische Unterstützung um den Preis dogmatischer Einigung zugesagt. Die Union wurde im Juli 1439 dekretiert, war aber nur von kurzer Dauer, da das Volk und der niedere Klerus von Byzanz sich ihr aus nationalistischem Haß gegen alles Lateinische widersetzten.

Die Übersiedlung des Konzils vom Po an den Arno war das Verdienst Cosimos, der dadurch seine Stadt für Monate zur politischen und geistigen Mitte Europas und sich selbst über Jahre zum Gastgeber der bedeutendsten Gelehrten griechischer Zunge machte. Die politische Einsicht von Kaiser und Papst kam zu spät. Sie konnte den Untergang des byzantinischen Reiches nicht verhindern. Die Synthese aber, die coincidentia oppositorum lateinischen und griechischen Denkens, der ost-westliche Zusammenfall der Gegensätze legte Kräfte frei, deren Ströme den scholastisch verhärteten Geist des Abendlandes wenige Jahrzehnte später lösten. Plethon und sein Schüler Bessarion blieben in Italien. Sie legten mit Cosimo den Grundstein zur Platonischen Akademie, die als alma mater Terra im alten Verstande des Lukrez die Nährmutter eines neuen europäischen Geisteslebens werden sollte. Piero der Gichtbrüchige, Cosimos Sohn, bewahrte und pflegte das väterliche Erbe, Lorenzo vermehrte es. Der erste Akademieleiter wurde Marsilio Ficino, der den gesamten Platon sowie Plotin übersetzte. Ihm zur Seite wirkten Angelo Poliziano, Humanist und Dichter, und der Dante-Forscher Cristoforo Landino. Sie vor allem machten Michelangelo mit der Antike, Dante und Petrarca vertraut.

Die Frage nach Umfang und Tiefe der Bildung, die Michelangelo sich in der Gesellschaft von Dichtern und Gelehrten erwarb, wird immer wieder neu gestellt. Die Antwort, er habe kaum etwas gelernt, ist ebenso unrichtig wie die Meinung, er sei in diesem Kreis umfassend wissenschaftlich belehrt worden. Die Akademie war keine Universität, und Michelangelo hat weder Seminare besucht noch Exerzitien ausgearbeitet. Ebenso war die private Unterrichtung nur beiläufig, keineswegs aber oberflächlich. Michelangelo hat viel gelernt, weil er aufgeschlossen und wissenshungrig war. Als er wenige Jahre nach Lorenzos Tod in Bologna lebte, las er seinem Gastgeber Aldovrandi allabendlich aus Boccaccio, Dante und Petrarca vor. Dazu gehörte damals eine genaue Kenntnis der Werke. Denn nur die gediegene Stoffbeherrschung befähigte zu einer Erklärung der Dichtungen, die stets mit der Lektüre verbunden war. Michelangelo hat die Kenntnisse, die ihm

*Cosimo de' Medici. Marmorrelief. Früher Berlin, Kaiser-Friedrich-Museum*

*Marsilio Ficino, Giovanni Pico della Mirandola und Angelo Poliziano. Ausschnitt aus dem Fresko «Das Wunder des Sakraments» von Cosimo Rosselli, 1486. Florenz, San Ambrogio*

seine gelehrten älteren Freunde vermittelten, durch eigenes Studium vertieft. Das beweisen sein Canzoniere, der, besonders in den frühen Versen, Einflüsse Petrarcas und später platonisches Gedankengut erkennen läßt, sein Ruhm als Dante-Forscher in den römischen Jahren und seine Kunst. Romain Rolland umreißt den Einfluß der Akademie mit den Worten: «Um in der antiken Welt zu leben, schuf er sich eine antike Seele: er wurde ein griechischer Bildhauer.»[16] Mit dem belehrenden Beistand Polizianos meißelte er den *Kampf der Kentauren und Lapithen*. In diesem Hochrelief versucht er sich zum erstenmal an einem seiner großen Themen, an der raumfüllenden Bewegung, die aus dem Zusammenprall widerstreitender Kräfte entsteht. In den Kompositionen des verschollenen Kartons zur *Schlacht von Cascina* und im *Jüngsten Gericht* wird dieses Thema später von ihm bewältigt. Ein anderes Thema, das Verlassensein, schlägt er als Flachrelief aus dem Marmor. Blick und Haltung der *Madonna an der Treppe* bekunden tiefe Melancholie. Das Kind ist an der Brust eingeschlafen, ohne daß die Mutter es bemerkt zu haben scheint. In ihr ist bereits der Gedanke an den Tod. Der sibyllinische Gestus der Gestalt wird ebenfalls wiederkehren.

Die erste vollplastische Arbeit, ein Faunskopf, ist verschollen. Dieses Werk machte Lorenzo de' Medici auf die außergewöhnliche Begabung seines jüngsten Stipendiaten aufmerksam. Ein Fresko Vannis im Palazzo Pitti zeigt den Florentiner Handelsherrn, wie er im Kreis seiner Zöglinge Michelangelos Skulptur betrachtet. Der Kopf war die Kopie einer antiken Arbeit, deren zerstörte Partien Michelangelo in freier Erfindung ergänzt hatte. Der lachende Ausdruck des alten und bärtigen Satyrs geht vermutlich auf das Original zurück. Ob die Züge des Gesichts bereits Ansätze zum Grotesken zeigten, bleibt unbekannt. Die Wahl des Vorwurfs läßt indes vermuten, daß Michelangelo bei der Ausführung seiner Neigung zum Komischen nachgab. Die Freude am Grotesken war eine Ebene seines vielschichtigen Humors, und dieser Humor besaß die kräftige Florentiner Art. Er konnte vernichtende Gedanken durch ein melancholisches Lächeln verhüllen, er verstand es gleichfalls, sie durch die ätzende Schärfe seines bitteren Spotts zu verdeutlichen. Der Schlag, mit dem sein Mitschüler Torrigiani ihm die Nase schwer verletzte, ist sehr wahrscheinlich durch eine solche ironische Bemerkung herausgefordert worden. In dem Gespräch, das er mit Vittoria Colonna über Malerei geführt hat, sagt er über das Groteske in der Kunst: *Man pflegt in der Tat manches zu malen, was man in der Welt nie sieht, und diese künstlerische Freiheit hat durchaus Verstand und*

*Kampf der Kentauren und Lapithen. Marmorrelief von Michelangelo, um 1492. Florenz, Casa Buonarroti*

*gute Gründe. Es gibt zwar einige, die das nicht einsehen und die behaupten, der Lyriker Horaz habe die folgenden Verse als scharfen Tadel an die Maler gerichtet:*

> *Maler wie Dichter*
> *haben die Macht, stets alles und jedes zu wagen. Ich weiß es,*
> *fordre für mich diese Freiheit und gewähre sie andren.*

*Diese Verse enthalten aber keineswegs einen Angriff gegen die Maler. Vielmehr ermutigt und lobt Horaz sie, wenn er sagt, daß die Dichter und Maler die Macht hätten, zu wagen, ich betone: zu wagen, was ihnen gefällt. Diese Freiheit des Sehens und diese Macht haben sie immer besessen. Wenn aber, was selten geschieht, ein großer Maler ein Werk schafft, das falsch und lügnerisch zu sein scheint, so verbirgt sich hinter solcher scheinbaren Falschheit doch nichts als Wahrheit ... Es ist verständig und durchaus künstlerisch, wenn man einem Gemälde Monstrosität gibt, um die Sinne durch Mannigfaltigkeit zu ergötzen und das Bild für sterbliche Augen anziehender zu gestalten, denn bisweilen wünschen die Menschen etwas zu sehen, was sie vorher niemals erblickt haben, was ihnen aber nicht unsinniger erscheint als die ebenfalls wunderbare natürliche Gestalt der Menschen und Tiere. Daher nahm sich auch das unersättliche menschliche Verlangen nach Ergötzung seine Freiheit und zog zuweilen einem einfachen Bauwerk mit Säulen, Fenstern und Türen ein Gebäude vor, das mit erfundenen Grotesken geschmückt ist, dessen Säulen als Kinder gebildet sind, die aus Blütenkelchen hervorsteigen, dessen Portale Schilfrohr und andere Dinge tragen. Dieses Allerlei scheint unmöglich und sinnlos zu sein, und doch ist es großartig, wenn es einer gebildet hat, der es versteht.*[17]

Die Frage nach dem Grotesken war damals ein Problem, das die Gemüter ebenso erregte, wie es in unserem Jahrhundert der Expressionismus oder die gegenstandslose Malerei getan haben. Die antike Groteskenornamentik hatte man in den unterirdischen Gräbern, in den Grotten Roms, entdeckt und in der Renaissance neu geübt.

In dieser Zeit fand er in den Palästen und Gärten der Medici viele gute Gefährten, die sein Können förderten, und eine Fülle von Vorbildern, an denen er sich messen konnte.

*Madonna an der Treppe. Marmorrelief von Michelangelo.*
*Florenz, Casa Buonarroti*

# DER EMIGRANT

Lorenzo il Magnifico starb im Frühjahr 1492. Auf seinen Wunsch stand ihm Savonarola in der letzten Stunde zur Seite. Michelangelo verließ den Palazzo Medici und kehrte in die enge Welt des väterlichen Hauses zurück. Er hatte sich ihr völlig entfremdet und jeden Antrieb verloren, nicht nur aus Schmerz über den Tod seines mediceischen Freundes, sondern auch, weil ihm der geistige, der künstlerische Nährboden genommen war. Es dauerte Tage, wie er sich später erinnert, bis er einen wohlfeilen Marmorblock kaufte, um daraus einen überlebensgroßen Herkules zu meißeln. Die Statue gelangte auf verschlungenen Wegen in den Schloßpark zu Fontainebleau. Dort ist sie verschwunden, ohne eine Spur zu hinterlassen. Diese Skulptur kann der Anlaß für Lorenzos Sohn Piero II. gewesen sein, den jungen Bildhauer wieder in den Palast zu holen.

Michelangelo hatte sich inzwischen eingehend mit anatomischen Studien befaßt und in der Totenkammer des Konvents von Santo Spirito Leichen seziert, eine Übung, die er bis in sein hohes Alter regelmäßig wiederholte. Er betrieb diese medizinischen Exerzitien mit aller Gründlichkeit und erwarb sich im Laufe der Jahre den Ruf, in dieser Wissenschaft der kenntnisreichste Künstler zu sein. Sein späterer Hausarzt Realdo Colombo, einer der bedeutendsten Anatomen seiner Zeit, hätte es gern gesehen, daß Michelangelo die Zeichnungen zu seinem Werk über die Anatomie beisteuerte. Dieser Wunsch hat sich nicht erfüllt. Es darf jedoch mit Sicherheit angenommen werden, daß Gedanken, Erfahrungen und Erkenntnisse Michelangelos über die 15 Bücher Colombos verstreut sind. Die Gelegenheit zu seinen Sektionen verschaffte ihm der Prior von Santo Spirito. Michelangelo bedankte sich mit einem Holzkruzifix, das ebenfalls verschollen ist.

*Piero II. de' Medici, Lorenzos Sohn. Bronzebüste von Antonio del Pollaiuolo. Florenz, Bargello*

Der zweite Aufenthalt im Palast der Medici war nicht von langer Dauer. Piero II. führte die Staatsgeschäfte nur knapp drei Jahre. Die Zeit war gegen ihn, wenn auch sein Charakter und seine Lebensart seinen Sturz beschleunigten. Ihm fehlten die politische Klugheit und der menschliche Takt seiner Väter. So schuf er sich manchen Feind. Seine Vettern aus der jüngeren

Linie des Hauses Medici, die einen Lorenzo geduldet hatten, schürten eine Glut aus Haß und Neid, die sich durch die Stadt zum Medici-Palast fraß. Savonarolas Reden taten das Ihre dazu. Mit dem Italienzug Karls VIII. von Frankreich wurde die Glut zur Flamme, die alles vernichtete, was Cosimo und Lorenzo geschaffen hatten. Gegen die politische Entwicklung war der Dilettant Piero machtlos. Als der französische König an der toskanischen Grenze stand, gab es für Florenz nur zwei Lösungen. Man mußte entweder die Stadt verteidigen oder den Franzosen veranlassen, das toskanische Territorium friedlich und ohne Berührung der Stadt zu durchziehen. Piero entschied sich für Verhandlungen. Der König hatte mit seinem stehenden Heer, dem ersten der Zeit, alle Trümpfe in der Hand. Er willigte zwar in den friedlichen Durchmarsch ein, lehnte aber die Umgehung von Florenz ab und erklärte sich bereit, auch die Hauptstadt zu schonen, wenn man ihm Pisa und ein paar andere Plätze überließ. Da er einige dieser Orte bereits besetzt hatte, war es nur eine Frage kurzer Zeit, bis auch die anderen von ihm eingenommen wurden. Piero ging auf die Forderungen ein, die ja zum Teil bereits erfüllt waren. Als er nach Florenz zurückkehrte, hoffte er, die Bevölkerung werde einsehen, daß auf Grund der strategischen Lage kein anderes Ergebnis möglich war. Man empfing ihn als Verräter. Die von den Vettern seit langem verbreiteten Gerüchte, Piero wolle der Stadt die Freiheit nehmen, schienen durch die Übergabe der Festungen bestätigt. Knapp vierundzwanzig Stunden nach seiner Rückkehr verkündete die Signoria die dauernde Verbannung des Hauses Medici. Die Angehörigen der jüngeren Linie konnten in Florenz bleiben, nachdem sie den Namen Popolano angenommen und das Familienwappen von ihrem Palast entfernt hatten. Ihre Zeit war noch nicht gekommen. Erst der Enkel Giovanni Popolanos, Cosimo I., brachte diesen Zweig des Geschlechts an die Macht.

Michelangelo hatte seine Heimat drei Wochen vor Piero verlassen. Er mußte für sich fürchten, falls Piero vertrieben wurde. Eine Verbannung war nicht ausgeschlossen. Florenz lebte 1494 in wachsender politischer Hysterie. Seit der Ankunft der französischen Gesandten liefen Gerüchte durch die Straßen, Karl VIII. werde die Bewohner über die Klinge springen lassen. (Das geschah zwar nicht, doch wurde Florenz von den einrückenden Franzosen als feindliche Stadt behandelt und ausgeraubt.) Savonarolas Sintflutpredigten steigerten die Erregung. Er hatte die Züchtigung der italienischen Staaten durch einen fremden Eroberer vorhergesagt, und nun glaubte man auch an den prophezeiten Untergang der Medici.

Niemand konnte voraussehen, was Piero II. in den Verhandlungen mit dem französischen König erreichte und wie die Abmachungen, die er traf oder treffen mußte, nach seiner Rückkehr von der Regierung und vom Volk aufgenommen wurden. Giovanni, Cosimos Großvater, und Lorenzo, der Großonkel des Herzogs, hatten die Stadt bereits an den Franzosen verkauft und hatten ihr Lügengespinst, Piero sei der Grabträger der Freiheit, inzwischen so dicht gezogen, daß die Mehrheit der Bürger schon den klaren Blick für die Zusammenhänge und politischen Notwendigkeiten verloren hatte. Piero selbst wird Michelangelo geraten haben, die Stadt zu verlassen und nach Venedig zu gehen, wohin auch er sich wenden wollte, wenn er fliehen mußte.

Michelangelo floh nicht aus Feigheit, sondern aus politischer Einsicht. Er ist später noch zweimal geflohen, einmal vor dem Papst, ein anderes Mal vor einem Verräter. Alle drei Begebenheiten haben ihm den Vorwurf eingebracht, er sei von Natur feige gewesen, als sei der Begriff der Feigheit mit dem der Flucht logisch verknüpft. Derartige Schlüsse haben die komische Beweiskraft jener Konklusion, die Holberg seinem Erasmus Montanus in den Mund legt: «Ein Stein kann nicht fliegen. – Frau Mutter kann nicht fliegen. – Ergo: Frau Mutter ist ein Stein.» Michelangelo ist dreimal geflohen, ergo: Michelangelo ist feige. Setzt man an die Stelle des Wortes Flucht die moderne Vokabel Emigration, so entfällt, ohne daß der Begriff anders definiert wäre, das Schmähwort feige.

## VENEDIG – BOLOGNA – ROM

Nach einem Ritt von einer Woche erreichte Michelangelo Venedig. Da er jedoch zwei Begleiter freihielt, ging ihm nach wenigen Tagen das Geld aus. Er wandte sich nach Bologna zurück, in der Hoffnung, dort einen Auftrag zu erhalten, und machte durch einen Zufall die Bekanntschaft des Edelmannes Gianfrancesco Aldovrandi, dessen Wort in Bologna etwas galt, da er im Dienst der Bentivogli, der Stadtherren, stand. Aldovrandi nahm den jungen Künstler in seinem Haus auf und verschaffte ihm sehr bald eine Arbeit. Das Grabmal des heiligen Dominikus in San Domenico war unvollendet geblieben. Es fehlten noch die Statuetten eines knienden Engels und der Heiligen Petronius und Proculus. Auch in den Ausmaßen war es ein geringer Auftrag: die drei Skulpturen sind Kleinplastiken. Dennoch machte der junge Bildhauer sich ans Werk. In *Proculus,* die eigenwilligste dieser drei Statuetten, scheint uns ein «junger, zorniger» Michelangelo entgegenzutreten. Sein drohender Blick wird später verwandelt und verhaltener wiederkehren: im David, Moses und Brutus.

Nach einem Jahr verließ Michelangelo die Stadt, die ihm nichts zu bieten hatte.

Doch auch das neue Florenz, die Republik Savonarolas, war den Musen abhold. Zwei Skulpturen meißelte er während des kurzen Aufenthaltes in der Heimat: einen jungen *Johannes* für Lorenzo di Pierfrancesco de' Medici, der sich nun Popolano nannte, und einen schlafenden *Cupido* für sich selbst, um aus dem Erlös eine Reise nach Rom zu bestreiten. Die Ewige Stadt war sein nächstes Ziel. Durch Vermittlung Lorenzos erwarb der römische Kunsthändler Baldassare Milanese den *Cupido* für 30 Dukaten und verkaufte ihn für 200 Goldstücke als antike Plastik weiter an Raffaele Riario, Kardinal di San Giorgio. Der Betrug blieb nicht lange verborgen. Ein Beauftragter des Kardinals stellte in Florenz fest, daß Michelangelo den Liebesgott geschaffen hatte, klärte aber zugleich den Sachverhalt. Zwar hatte der junge Bildhauer der Skulptur ein antikes Aussehen gegeben, weil Lorenzo ihn dazu bewogen hatte, doch überzeugte sich der römische Edelmann, daß Michelangelo sich der Folgen nicht bewußt gewesen war und von der betrügerischen Manipulation des Händlers keine Kenntnis gehabt hatte. Er machte dem jungen Künstler den Vorschlag, ihn nach Rom zu begleiten, da er dort ein gutes Arbeitsfeld finden würde. Michelangelo nahm das Angebot an und begleitete, mit einem Empfehlungsschreiben Lorenzos an Riario versehen, den Edelmann. Am 25. Juni 1496 ritten sie durch die Porta del Popolo in Rom ein.

Der Kardinal, der den Kauf inzwischen rückgängig gemacht hatte, nahm den jungen Florentiner Bildhauer freundlich auf, zeigte ihm seine Kunstschätze und machte ihm Hoffnungen auf Aufträge. Seine Antikensammlung war die bedeutendste neben der des Kardinals della Rovere, des späteren Papstes Julius II. Der früheste Brief Michelangelos stammt aus den ersten römischen Tagen. Er trägt das

*Karl VIII. von Frankreich. Zeitgenössisches Bildnis. Florenz, Uffizien*

Datum des 2. Juli 1496 und ist an Lorenzo di Pierfrancesco de' Medici gerichtet:

*Erlauchter Lorenzo, ich möchte Euch nur mitteilen, daß wir vergangenen Samstag glücklich angekommen sind und gleich den Kardinal di San Giorgio aufsuchten, dem ich Euren Brief überreichte. Er schien mir wohlwollend und forderte mich sogleich auf, ich solle mir einige antike Bildwerke ansehen. Damit verbrachte ich den ganzen Tag. Am Sonntag besuchte der Kardinal dann den Neubau seines Palastes und ließ mich rufen. Ich ging zu ihm, und er fragte mich, was ich von den Werken hielte, die ich gesehen hatte. Ich sagte ihm meine Meinung darüber. Es schien mir hier ohne Zweifel viele schöne Arbeiten zu geben. Darauf fragte mich der Kardinal, ob ich es mir zutraue, etwas Schönes zu schaffen. Ich antwortete, so Großes könnte ich nicht machen, aber er würde ja sehen, was ich zu gestalten vermöchte. Wir haben ein Stück Marmor zu einer Figur in natürlicher Größe gekauft, und am Montag will ich mit der Arbeit beginnen. Vergangenen Montag ... brachte ich Baldassare den Brief und forderte den Knaben Cupido von ihm mit dem Bemerken, ihm sein Geld zurückgeben zu wollen. Er antwortete mir höchst grob, lieber wolle er ihn in tausend Stücke zerschlagen: er habe den Cupido gekauft, und er gehöre ihm; auch habe er schriftliche Unterlagen, daß er den befriedigt habe, von dem er ihn empfing, und er besorge nicht, ihn wieder zurückgeben zu müssen. Er beklagte sich sehr über Euch, indem er Euch der Verleumdung bezichtigte. Nun haben sich ein paar von unseren Florentinern eingeschaltet, um uns zu einer Einigung zu bringen. Doch haben sie nichts erreicht. Jetzt gedenke ich, die Angelegenheit durch Vermittlung des Kardinals zu regeln, denn dazu hat mir Baldassare Balducci geraten. Ihr sollt erfahren, wie die Sache ausgeht. Das ist für heute alles. Ich empfehle mich Euch. Gott bewahre Euch vor dem Übel.*

*Michelagniolo in Rom.*[18]

Balducci war ein Bankangestellter und wurde später Michelangelos Freund. Durch ihn lernte der Künstler seinen wichtigsten römischen Auftraggeber dieser Jahre, den Bankier Jacopo Galli, kennen. Galli, der aus einer angesehenen und wohlhabenden Familie stammte, war ein hochgebildeter Mann und wie der Kardinal Riario ein eifriger Antikensammler. Für Galli schuf Michelangelo den *Bacchus* und einen verschollenen Apollo oder Cupido. Gallis Verdienst ist es, daß Michelangelo die *Pietà* meißelte.

Die ersten römischen Tage brachten vorerst nur Unannehmlichkeiten. Michelangelo bekam seinen *Cupido* nicht zurück. Der Kunsthändler war ihm gegenüber durchaus im Recht. Er hatte die Arbeit von Riario zurückgetauscht, sie gehörte ihm. Er war auch keineswegs verpflichtet, Michelangelo ein Aufgeld zu zahlen, denn dieser hatte sich ja mit dem Preis von 30 Dukaten einverstanden erklärt. Michelangelo war wütend, aber er hatte kein Recht dazu. Baldassare hoffte, immer noch einen guten Preis für die Skulptur zu bekommen, obwohl sie als moderne Arbeit erkannt worden war. Über den Herzog von Urbino kam der umstrittene Liebesgott in den Besitz Cesare Borgias und wurde später von den Gonzaga in Mantua erworben. Von dort führt sein Weg nach England. Wie der von Lorenzo bestellte *Giovannino* ist er heute verschollen.

An Aufträgen fehlte es nicht. Was aus dem Marmorblock geworden ist, den der Kardinal di San Giorgio für ihn kaufte, bleibt unbekannt. Desgleichen wissen wir nichts über die Arbeit, die sein alter Freund und Gönner Piero de' Medici, der jetzt in Rom lebte und den er zum erstenmal nach den bösen Tagen des Jahres 1494 wiedersah, von ihm erbeten hatte. Jacopo Galli vermittelte außer der *Pietà*

*Einzug Karls VIII. in Florenz am 17. November 1494. Links der alte Palazzo Medici. Gemälde von Francesco Granacci. Florenz, Uffizien*

*Der heilige Proculus. Marmorfigur von Michelangelo, 1494/95. Bologna, San Domenico*

ein anderes Werk, das nur zu einem kleinen Teil ausgeführt wurde. Zum Vertragsabschluß kam es erst in Florenz. Es waren die fünfzehn Statuetten für den Piccolomini-Altar im Sieneser Dom. Vier Skulpturen wurden von Baccio da Montelupo ausgeführt: Petrus, Paulus, Pius und Gregor. Michelangelos Anteil an diesen Heiligenfiguren ist gering, nur der Petrus zeigt korrigierende Spuren seines Meißels an Haupt und Gewand. Die Nichterfüllung dieses Vertrages hat den Künstler sein Leben lang bedrückt.[19]

Während die Werkgeschichte des *Julius-Grabmals* sich zu einer echten Tragödie entwickelte, hatte Michelangelo die Verschleppung der Arbeit für den Dom zu Siena selbst verschuldet. Hundert Dukaten, die er über das Honorar für die abgelieferten Skulpturen als Vorschuß erhalten hatte, mußte er noch zurückzahlen. Sechzig Jahre nach dem Vertragsschluß wollte er sich endgültig entlasten und schrieb, um die Unterlagen zu bekommen, an seinen Neffen:

*Lionardo,*

*Ich möchte, daß Du unter den Schriftstücken unseres Vaters Lodovico nachsiehst, ob die Abschrift des Cameralvertrages noch vorhanden ist, der über gewisse Statuen abgeschlossen wurde, welche ich für Papst Pius II. nach seinem Tode auszuführen versprach. Weil aber jenes Werk wegen gewisser Meinungsverschiedenheiten vor ungefähr fünfzig Jahren liegenblieb, und weil ich alt bin, möchte ich diese Angelegenheit re-*

*geln, damit Euch nach meinem Ableben nicht ungerechtfertigt Ungelegenheiten bereitet werden. Wenn ich mich recht erinnere, hieß der Notar, der jenen Vertrag abschloß, Ser Donato Ciampelli. Man hat mir gesagt, daß meine sämtlichen Akten bei Ser Lorenzo Violi lägen. Solltest Du jene Abschrift zu Hause nicht finden, so würde man vielleicht von dem Sohn des erwähnten Ser Lorenzo erfahren können, ob er sie hat oder wo der Generalvertrag zu finden wäre. Scheue keine Kosten, um eine Abschrift zu bekommen.*

*Am 20. September 1561 Ich, Michelagniolo Buonarroti.*[20]

Wieder entfaltet Michelangelo seine Kräfte an gegensätzlichen Themen, an christlichen und antiken Vorwürfen, wie zu Beginn unter Bertoldo im Medici-Garten. Waren es damals die *Kentauren* und ein Madonnenrelief, so sind es nun der trunkene *Bacchus* und die *Pietà* für San Pietro. Immer bewegt er sich, ein Protagonist neuplatonischen Christentums, in einem geistigen Raum, der Heidnisches und Christliches nebeneinander duldet. Während Savonarola gegen die barbarische Verkommenheit von Welt und Kirche wettert, meißelt Michelangelo den weinseligen Gott, dessen Augen, wie er selbst es von

*Rom: Petersplatz, Vatikan und die alte Peterskirche. Federzeichnung von Maerten van Heemskerck, 1532–36*

Condivis Feder notieren läßt, *blöde und lüstern* schauen. Die schwankende Trunkenheit charakterisiert er, indem er den Kontrapost in gewagter Art in seiner Gegenbewegung aufbaut und die rechte Schulter des Bacchus über das rechte Spielbein nach vorne dreht. Galli schätzte die Statue so sehr, daß er ihr einen Ehrenplatz neben seinen schönsten Antiken gab.

Die *Pietà* in der Peterskirche brachte den ersten Ruhm. Im Körper Christi ist dem Marmor jede Härte genommen, ist er entsubstantiiert, zu Fleisch geworden. Michelangelos Genie erweist sich in der Idee, dem Bilde der Maria überirdische, jungfräuliche Schönheit zu leihen. Der Gegensatz zwischen dieser mädchenhaften Madonna und dem männlichen Leib des Gekreuzigten hat die zeitgenössische Kritik herausgefordert. Michelangelo verteidigte seine Auffassung, als Condivi ihn eines Tages darauf ansprach:

*Weißt du nicht, daß die keuschen Frauen sich viel frischer erhalten als die unkeuschen? Um wieviel mehr also eine Jungfrau, welcher niemals auch nur der geringste wollüstige Gedanke beifiel, der ihren Leib hätte entstellen können. Ja, ich will dir sogar weiter sagen, daß*

*Der «Bacchus» von Michelangelo im Hof der Casa Galli. Federzeichnung von Maerten van Heemskerck*

*es durchaus glaubhaft ist, wenn eine solche Frische und Jugendblüte, außer daß sie sich auf diese ganz natürliche Weise in ihr behauptet haben, durch göttliche Kraft bewahrt bleiben, um der Welt die Jungfräulichkeit und ewige Reinheit der Mutter zu bekunden. Das war bei dem Sohn nicht nötig; vielmehr eher das Gegenteil, weil zu zeigen war, daß der Sohn Gottes wirklich einen menschlichen Körper angenommen hat, wie es ja geschehen war, und, da er allem, dem ein gewöhnlicher Mensch unterliegen kann, bis auf die Sünde, ebenfalls unterlegen war, so brauchte das Göttliche nicht das Menschliche in ihm zurückzudrängen, ihm vielmehr nur seinen Lauf und seine Ordnung zu lassen, so daß er jenes Alter zeigte, das er gerade hatte. Darum steht's dir nicht zu, dich zu wundern, wenn mich diese Einsicht bewog, die Allerheiligste Jungfrau, die Mutter Gottes, im Vergleich zu ihrem Sohn weit jünger zu gestalten, als es jenes Alter gewöhnlich fordert, dem Sohn aber sein Alter zu lassen.*

Der Vertrag über die *Pietà*, der am 27. August 1498 zwischen Jacopo Galli und dem französischen Kardinal Jean Bilhères de Lagraulas geschlossen wurde, ist erhalten:

Es sei jedem, der diesen Vertrag lesen wird, kund und zu wissen, daß der hochehrwürdige Kardinal di San Dionigi mit Meister Michelange-

*Bacchus. Von Michelangelo. Marmor, 1496/97. Florenz, Museo Nazionale*

lo, dem florentinischen Bildhauer, folgendes Übereinkommen getroffen hat: Genannter Meister ist verpflichtet, auf eigene Kosten eine Pietà aus Marmor zu schaffen, nämlich eine bekleidete Jungfrau Maria, welche den abgeschiedenen Christus in den Armen hält, und zwar in der Größe eines natürlichen Menschen, zum Preise von 450 Golddukaten in päpstlichem Gold, innerhalb eines Jahres, vom Tage des Werkbeginns an gerechnet. Der genannte ehrwürdige Kardinal verspricht die Bezahlung, wie folgt, zu regeln:

Als erstes verpflichtet er sich, ihm vor dem Beginn der Arbeit 150 Golddukaten in päpstlichem Gold zu geben. Ist das Werk begonnen, so verspricht er, genanntem Michelangelo alle vier Monate 100 Dukaten gleicher Währung zu zahlen, derart, daß die genannten 450 Golddukaten in päpstlichem Gold in einem Jahr, wenn der genannte Auftrag erfüllt sein wird, ausgezahlt sind. Sollte das Werk vorher vollendet werden, so ist Seine Ehrwürden verpflichtet, die ganze Summe zu zahlen.

Und ich, Jacopo Galli, verspreche dem ehrwürdigen Monsignore, daß genannter Michelangelo das Werk in einem Jahr vollendet, und daß es die schönste Marmorskulptur sein wird, die es heutigentags in Rom gibt, und daß kein Meister von heute sie würde besser machen können.

Und ich verspreche andererseits genanntem Michelangelo, daß der hochehrwürdige Kardinal die Bezahlung genau so ausführen wird, wie es oben niedergelegt ist. Zur Bekräftigung dessen, habe ich, Jacopo Galli, die gegenwärtige Niederschrift mit eigener Hand aufgesetzt, nach Jahr, Monat und Tag, wie oben geschrieben steht. Es herrscht Einvernehmen darüber, daß durch diesen Vertrag jede andere Niederschrift von meiner Hand oder auch von der Hand des genannten Michelangelo aufgehoben und ungültig wird, und daß allein diese Rechtsverbindlichkeit hat.

Genannter hochehrwürdiger Kardinal hat mir, Jacopo, vor kurzem 100 Golddukaten in Kammergold gegeben und heute 50 Golddukaten in päpstlichem Gold.

Ita est Ioannes, Cardinalis S. Dyonisii
Idem Jacobus Gallus, mit eigener Hand.[21]

Das Honorar war gut. 450 Dukaten waren damals 4500 Goldmark (vor 1913) wert. Vergleicht man die Kaufkraft der beiden Münzen, so erhielt Michelangelo nach heutigem Geld 45 000 Mark. Jacopo Galli hatte nicht zuviel versprochen: der Dreiundzwanzigjährige lieferte eine Marmorgruppe, die in Rom nicht ihresgleichen hatte. Sie ist bis heute unvergleichbar geblieben, nicht nur in Rom.

Die Verhandlungen zwischen Galli und dem Kardinal müssen sich lange hingezogen haben, denn Michelangelo war schon im April 1498 in Carrara, um Marmor zu beschaffen.

Mit dem Marmor für Riario scheint er nicht weitergekommen zu sein, und es muß irgendwelche Differenzen gegeben haben. Nach der Fertigstellung des *Bacchus* für Galli wartete er untätig auf neue

*Pietà: Kopf der Maria. Marmor, 1498/99. Rom, San Pietro*

Aufträge. Wahrscheinlich geht Gallis Bemühen, Michelangelo eine bedeutende Aufgabe zu besorgen, bis in das Jahr 1497 zurück.

Die Zeiten waren politisch unruhig. Aber die europäischen Spannungen bereiteten Michelangelo keine Sorge; selbst das plötzliche Erscheinen seines ältesten Bruders Lionardo, des Dominikanermönchs, der auf der Flucht durch Rom kam, erregte ihn nicht. Er war unbefriedigt, weil er sich nicht betätigen konnte. Eine wilde Unruhe zerriß ihn. Er schreibt seinem Vater:

*Ehrwürdigster und lieber Vater. Wundert Euch nicht, daß ich noch nicht zurückkehre. Ich habe meine Angelegenheiten mit dem Kardinal* (Riario) *nicht klären können, und abreisen will ich nicht, bevor ich nicht zufriedengestellt und für meine Mühe belohnt worden bin. Mit solchen großen Herren muß man langsam gehen, denn sie lassen sich nicht treiben. Doch glaube ich, es wird sich auf jeden Fall in der kommenden Woche alles erledigen lassen.*

*Ich teile Euch mit, daß Fra Lionardo hierher nach Rom gekommen ist. Er sagte, er habe aus Viterbo fliehen müssen, und man habe ihm die Kutte genommen. Er wollte nach Florenz gehen. Deshalb gab ich ihm einen Golddukaten, um den er mich für die Reise bat. Ich glaube, Ihr werdet es schon wissen, denn er müßte dort bereits eingetroffen sein.*

*Ich weiß nicht, was ich Euch anderes berichten soll, als daß ich in der Luft hänge und auf das unbekannte Ende warte. Doch hoffe ich, bald bei Euch zu sein. Ich bin gesund. Das gleiche hoffe ich von Euch. Empfehlt mich den Freunden.*

*Michelagniolo, Bildhauer in Rom.*[22]

Das erste Mal erscheint hier in der erhaltenen Korrespondenz die Unterschrift *Michelagniolo, Bildhauer in Rom*, die immer dann unter seinen Briefen steht, wenn er gegen Widerstände aufbegehrt – so während der Ausmalung der Decke in der Sixtinischen Kapelle, als er an den Marmorberg des *Julius-Grabmals* denkt und doch nur ein Maler sein darf.

Warum sein Bruder Lionardo aus Viterbo fliehen mußte, bleibt rätselhaft. Man glaubte daraus schließen zu müssen, daß er ein Piagnone, ein Anhänger Savonarolas, war. Und von dieser Meinung zu der Ansicht, auch Michelangelo sei ein Gefolgsmann des Häretikers gewesen, ist dann nur ein Schritt. Michelangelo war es sicher nicht. Savonarola ist ihm wohl ein Erinnerungsbild aus der Jugend geblieben, aber er ist ihm weder geistig noch politisch hörig geworden, wie etwa Botticelli. Der Dominikaner war für Michelangelo ein Prophet wie jeder andere Verkünder des Christentums, deren Worte er aus der Bibel, die auch ihm das Buch der Bücher war, kannte. Er hätte Savonarola nie bedingungslos folgen können, weil der Mönch in der Kunst ablehnte, was Michelangelo am erstrebenswertesten erschien. Doch er achtete ihn, die unbedingte Ehrlichkeit seiner Überzeugung und seinen Mut. Auch war er nun lange genug in Rom,

*Der dreiundzwanzigjährige Michelangelo, in Gedanken versunken.
Zeitgenössischer Kupferstich*

um erkannt zu haben, daß der Dominikaner recht predigte. Und weil er ihn achtete, nahm er teil an seinem Geschick. Dieser Achtung entsprang seine Sorge um den frommen Eiferer. Sie fand in einem Brief an den Bruder ihren Niederschlag.

*An den klugen Jüngling Buonarroto.*
*Im Namen Gottes.*
*Lieber Bruder, denn als solchen achte ich Dich, und das stehe für alles.*

*Über Deinen Michelangelo habe ich einen Brief von Dir erhalten, der mich herzlich getröstet hat, besonders auch, weil ich von den Angelegenheiten des Bruders Hieronymus, Eures Seraphikers, erfahre, der in ganz Rom von sich reden macht, und von dem man sagt, er sei ein faulichter Ketzer. Um so notwendiger ist es, daß er in jedem Falle nach Rom kommt, um hier ein wenig zu prophezeien. Dann wird man ihn heilig sprechen, und alle werden sich freudigen Herzens zu ihm bekennen.*

*Bruder, ich bewahre Dich schon sehr freundlich in meinem Herzen. Drum sei guten Muts und lerne fleißig, wie Du es tust. Dem* (Bildhauer) *Frizzi habe ich alles erklärt, und er hat es wohl verstanden. Bruder Mariano* (Augustinermönch) *spricht sehr schlecht von Eurem Propheten. Das ist alles. Im nächsten Brief werde ich Dir eingehender berichten, denn ich bin heute in Eile. Neuigkeiten gibt es nicht, außer der, daß gestern sieben Papierbischöfe gewählt und fünf von ihnen aufgeknüpft wurden. Empfiehl mich der Familie, besonders aber Lodovico, meinem Vater, denn als solchen achte ich ihn. Und wenn Du hierher schreibst, so empfiehl mich dem Michelangelo. Das ist alles. Geschrieben in der Finsternis.*

*Dein Piero in Rom.*[23]

Dieser Brief wurde vier Wochen vor der Verhaftung, 74 Tage vor der Hinrichtung Savonarolas geschrieben. Er ist unbezweifelbar eine Warnung und als solche verschlüsselt. Er spricht Buonarroto und Lodovico als Bruder und Vater an, aber nur so, wie es ein Freund der Familie tun kann, der sie wie Vater und Bruder achtet. Er schreibt mit verstellter Schrift und unterschreibt *Piero*. Damit der Bruder den Brief auch recht verstehe, nennt er ihn einen *klugen Jüngling* und macht darauf aufmerksam, daß er dem Bildhauer Frizzi, der den Brief wahrscheinlich beförderte, alles erklärt habe. Der Ton der Zeilen ist bittere und böse Ironie. Er gibt sich wie eine oberflächliche Mitteilung, die man schnell schreibt, weil sich Gelegenheit bietet, Freunden Grüße zu senden. Da man keine Muße hat, Wichtiges zu formulieren, berichtet man Klatsch und Sensationen. Michelangelo war bereits zwei Jahre in Rom. Er verkehrte in Kreisen, die politisch wohlunterrichtet waren. So wird er manches erfahren haben, was selbst der gut informierte Savonarola nicht wußte. Michelangelo scheint bereits gewußt zu haben, daß in Rom der Flammentod des Mönches beschlossen war. Darum teilt er ihm oder einem seiner Anhänger mit, er dürfe in keinem Fall nach Rom kommen, indem er ihn ironisch dazu auffordert, und er warnt ihn vor dem Ketzertod, indem er die Hinrichtung der Papierbischöfe erwähnt, die Aburteilung von Verbrechern, die vor dem Urteilsvollzug mit papierenen Mitren an den Pranger gestellt wurden.

1501 kehrte Michelangelo nach Florenz zurück. In vier Jahren entstanden hier der *David*, die *Brügger Madonna*, zwei marmorne Madonnentondi, das Temperagemälde der *Madonna Doni*, der Karton zur *Schlacht bei Cascina*. Der *Matthäus*, eine der zwölf Apostel-Figuren für den Florentiner Dom, blieb unvollendet; ein Bronze-David wurde erst 1508 fertig.

Michelangelo stand sein ganzes Leben im Schnittpunkt starker Spannungen. Sie zogen ihn an; er suchte sie. Er war nur vor Widerständen glücklich. Die liebsten Gegner waren ihm Marmorblöcke. Er kannte den Stein und seine Eigenart von Kindheit an. Er wußte nur zu gut, daß die geringste Unsicherheit in der Meißelführung einen Block, ein Werk vernichten konnte. Darum zertrümmerte er als Greis begonnene Werke. Darum vielleicht auch ließ er so viele Blöcke halb behauen stehen, weil ihm das Unvollendete vollkommener schien als das Vollendete, das Unbesiegte größer als das Bezwungene, die Idee mächtiger als ihre perfekte Ausführung.

Die Spannungen holte er sich nicht nur aus der Arbeit am Stein. Er suchte sie in den Marmorbrüchen; er baute Straßen, um zu ihnen zu gelangen; er entwarf und fertigte Flaschenzüge, um die gebrochenen Steine abzuseilen; er war unmenschlich gegen seine Mitarbeiter, weil er auch sich nicht schonte. Jeder Auftrag war ihm zu gering, nur nicht der erste Entwurf zum *Julius-Grabmal*. Als er es meißeln wollte, mußte er die Decke der Sixtina ausmalen. Aber er verwarf den ersten ärmlichen Plan und malte ein Heer von Leibern, anstatt den einfachen Wunsch des Papstes zu erfüllen und um so rascher das Grabmal anzugehen.

Er übernahm, was jeder andere ablehnte, so auch den verhauenen Block, in dem sich für ihn der *David* verbarg. Der Block gehörte der Dombauhütte. Vierzig Jahre zuvor sollte Agostino di Duccio daraus einen David für einen der Strebepfeiler des Domes schlagen. Die Arbeit blieb im Beginn stecken. Ein zweiter Bildhauer, Antonio Rossellini, wurde, ebenfalls ohne Erfolg, mit der Vollendung beauftragt. Michelangelo gelang das scheinbar Unmögliche. Zu der Kommission, die über den Platz zu entscheiden hatte, an dem der Koloß aufgestellt werden sollte, gehörten Andrea della Robbia, Simone del Pollaiuolo, Sandro Botticelli, Antonio da Sangallo, Leonardo da Vinci, Pietro Perugino und Lorenzo di Credi. Dieses hohe Gremium beweist die Bedeutung, die man der Vollendung der Skulptur beimaß. Die Kommission folgte dem Vorschlag Michelangelos. In vier Tagen wurde der *David* von der Werkbaracke des Domhofs zum Palazzo Vecchio transportiert. Dort stand der Bezwinger des Mannes aus Gath, ein Sinnbild der Befreiung, bis zum Jahre 1873. (Um das Bildwerk vor schädigenden Wettereinflüssen zu schützen, brachte man es in die Akademie der schönen Künste.)

Zwei Jahre nach Antritt seines Pontifikats berief Julius II. Michelangelo nach Rom. Der Papst wollte sich ein Grabmal errichten. Er

*Fra Girolamo Savonarola. Gemälde von Fra Bartolommeo. Florenz, Museo di San Marco*

genehmigte den Entwurf Michelangelos: einen riesigen Freibau in der Form eines Quaders, dessen Grundfläche ungefähr 10,5 mal 7 Meter maß. Der Bau sollte aus zwei Stockwerken (Gesamthöhe etwa 9,15 Meter) bestehen. Das Obergeschoß sollte von einer Gruppe gekrönt werden, von zwei Engeln, die den Papst auf einer Bahre oder in einem Sarg gen Himmel trugen. Über fünfzig Skulpturen waren als Schmuck vorgesehen, darunter die Gefangenen, der Sieger, Rahel, Lea und Moses. Der Papst schickte Michelangelo nach Carrara, damit er Marmor heranschaffe. Acht Monate blieb dieser dort. Erst im Dezember kehrte er, vermutlich über Florenz, wo der Vertrag über die zwölf Apostel für den Dom gelöst wurde, nach Rom zurück.

Die *Tragödie* des Grabmals, wie Michelangelo selbst die Werkgeschichte des Monuments nennt, hatte begonnen.

Während er unruhig auf die Ankunft der Marmorblöcke aus Carrara wartete, erlebte er nur wenige glückliche Stunden. Beglückt war er, als er in der Begegnung mit einer antiken Marmorgruppe seine Kunst bestätigt fand. Am 14. Januar 1506 war in der domus aurea des Nero, nahe den Titusthermen, der «Laokoon» ausgegraben worden. Michelangelo und Giuliano da Sangallo waren die ersten, die ihn zu Gesicht bekamen. Für Michelangelo war es das Ereignis, il portento, das Wunder und das Zeichen.[24]

Ende Januar waren die Blöcke immer noch nicht da. Er berichtete dem Vater darüber: *Ich würde meine Arbeiten hier schon gut vor-*

*wärtsbringen, wenn nur meine Marmorblöcke kämen. Aber in dieser Hinsicht scheine ich das größte Mißgeschick zu haben, denn seit ich hier bin, ist das Wetter keine zwei Tage gut gewesen. Vor mehreren Tagen kam gerade eine Barke an, die bei widrigem Wetter nur durch sehr großes Glück vor dem Untergang bewahrt wurde. Als ich ihre Ladung gelöscht hatte, stieg der Fluß plötzlich derart stark an, daß er sie ganz überflutete; so konnte ich noch nicht mit der Arbeit beginnen. Immerhin halte ich den Papst mit leeren Redensarten bei guter Laune, damit er mir nicht zürnt; denn ich hoffe doch, daß das Wetter sich bequemt und ich bald anfangen kann mit der Arbeit. Gott gebe es!* [25]

Die Blöcke kamen endlich an. Aber der Papst hatte sich inzwischen anders entschlossen. Er wollte den von Nikolaus V. begonnenen Neubau der Peterskirche fortsetzen. Wie weit Intrigen Bramantes bei der Sinnesänderung Julius' II. eine Rolle gespielt haben, läßt sich nicht eindeutig feststellen. Was für Michelangelo das Grabdenkmal bedeutete, war für den ehrgeizigen Architekten der Riesenbau des Petersdomes. Auch das war ein Plan nach dem Herzen des Pontifex. Dort, in der gewaltigsten Kirche der Christenheit, sollte dann Michelangelo das Grabmal aufstellen. Aber zuerst mußte die Kirche gebaut werden. Michelangelo sah sich schmählich verraten.

Aus dem Jahre 1524 sind zwei Briefentwürfe erhalten, in denen er den Gang der Ereignisse schildert. Es ist der erste Akt der Tragödie:

*... Als mich der Papst aus Florenz rufen ließ – ich glaube es war im zweiten Jahr seines Pontifikats –, da hatte ich es übernommen, die Hälfte des Ratssaales von Florenz* (Cascina-Karton) *auszumalen. Ich sollte dafür 3000 Dukaten bekommen, und, da der Karton, wie ganz Florenz wußte, fast fertig war, so glaubte ich, das Geld schon halb verdient zu haben. Von den zwölf Aposteln, die ich noch für Santa Maria del Fiore zu machen hatte, war einer, wie man noch sieht, bereits roh ausgehauen. Und den größten Teil des Marmors hatte ich schon herangeschafft. Da mich Papst Julius nun abberief, so hatte ich weder von der einen noch von der anderen Arbeit etwas. Als ich dann bei besagtem Papst in Rom weilte ... gefiel ihm schließlich einer der vielen Entwürfe, die ich für sein Grabmal gezeichnet hatte. Wir machten ihn zur Vertragsgrundlage. Ich übernahm die Ausführung für 10 000 Dukaten, und da allein 1000 Dukaten für Marmor draufgingen, ließ er mir diesen Betrag .... auszahlen und beauftragte mich den Marmor zu beschaffen. Ich ging und brachte die Marmorblöcke nach Rom und die Arbeitskräfte auch. Er aber änderte seinen Entschluß und wollte das Werk nicht mehr weiterführen. Da ich mich in große Unkosten gestürzt hatte, Seine Heiligkeit mir aber kein Geld mehr für das Werk geben wollte, brachte ich ihn, indem ich mich bei ihm beklagte, derart auf, daß er mich vor die Tür setzen ließ. Daraufhin kehrte ich Rom voller Zorn den Rücken. Der*

*David. Marmor, 1501/02. Florenz, Accademia delle Belle Arti*

*Marmorbruch in Carrara*

*ganze Plan des Werkes war in Unordnung geraten. Dieses Durcheinander kostete mich 300 Dukaten aus eigener Tasche, ohne meine Zeit, die acht Monate, die ich in Carrara verbrachte, dabei anzurechnen, so daß ich völlig blank war. Die Marmorblöcke aber blieben auf der Piazza di San Pietro liegen.*[26]

Am 17. April 1506 verließ Michelangelo Rom. Es war seine zweite Flucht, eine Flucht aus Zorn. Am 18. April legte Julius den Grundstein zum Petersdom.

Der Papst hatte, als er von Michelangelos Flucht erfuhr, dem beleidigten Künstler fünf Berittene nachgeschickt, die ihn jedoch erst auf florentinischem Gebiet, in Poggibonsi, einholten. Sie übergaben Michelangelo den päpstlichen Befehl, umzukehren. Er wies ihn zurück und teilte Julius II. in einem kurzen Schreiben mit, er denke nicht daran, überhaupt jemals wieder nach Rom zu kommen. Er lasse sich für treue Dienste nicht wie einen Lumpen von der Tür jagen und halte sich seiner Verpflichtungen für entbunden.

In Florenz hatte sich sein Zorn bald gelegt, aber an Rückkehr dachte er trotzdem nicht. Der Papst ließ ihm durch Giuliano da Sangallo mitteilen, daß er ihm die Abreise zwar verüble, sie ihm aber nicht nachtragen werde; er solle nur wieder nach Rom kommen. Die Vereinbarung solle bestehen bleiben und auch Geld angewiesen werden. Darauf erhielt San Gallo folgende Antwort:

*...Seine Heiligkeit möge wissen, daß ich mehr als je bereit bin, das Werk fortzuführen. Und wenn Sie das Grabmal durchaus haben*

*will, so kann es Ihr wohl gleich sein, wo ich daran arbeite, wenn es nur, wie vereinbart, im Laufe von fünf Jahren in San Pietro an einem Ihr genehmen Platz aufgemauert und so schön wird, wie ich es versprochen habe. Denn, des bin ich gewiß, ist es erst fertig, so wird es auf der ganzen Welt nicht seinesgleichen haben.*

*Wünscht also Seine Heiligkeit die Fortsetzung des Werkes, so möge Sie den ausgemachten Betrag für mich hier in Florenz bei einer Bank, die ich Ihr angeben werde, hinterlegen. Ich habe in Carrara viele Marmorblöcke zur Verfügung, die ich ebenso wie die dort lagernden nach hier transportieren lassen werde. Obwohl es mir ge-*

*Kopf des Laokoon. Werk der Rhodier Hagesandros, Polydoros und Athanodoros. Um 30 v. Chr. Rom, Vatikan*

*Papst Julius II. Gemälde von Raffael, um 1510. Florenz, Uffizien*

*nug Unkosten machen würde, so soll mich das doch wenig kümmern, wenn ich das Werk hier nur vollenden kann. Die Teile, die auf diese Weise fertig werden, würde ich Seiner Heiligkeit nach und nach senden, damit Sie sich ebenso daran erfreuen kann, als wäre ich in Rom. Das wäre bestimmt besser, weil Sie dann ohne jeden Verdruß nur Vollendetes zu sehen bekäme. In bezug auf das genannte Geld und das Werk werde ich mich nach den Wünschen Seiner Heiligkeit verpflichten und Ihr hier in Florenz jede Sicherheit geben, die Sie verlangen sollte. Es mag sein, was es will, ich werde es bieten, ja, ganz Florenz würde dafür einstehen.*[27]

Der stolze Satz, Florenz stünde für ihn ein, war berechtigt. Die Regierung und ihr erster Beamter, Pietro Soderini, stellten sich vor ihn, als der Papst ungeduldiger wurde und immer schärfere Noten an Florenz richtete. Schließlich meinte Soderini, man könne es wohl nicht zu einem Krieg kommen lassen, Michelangelo möge daher als Gesandter der Republik nach Rom reisen. Auch Papst Julius werde ihn dann nicht anzutasten wagen, denn was ihm geschähe, füge man Florenz zu. Michelangelo war einverstanden. Doch noch bevor er aufbrach, hatte Julius Rom verlassen. Die Baglioni in Perugia und die Bentivogli in Bologna, Herren zweier Städte, die zum Kirchenstaat gehörten, versuchten, sich selbständig zu machen. Der Herr von Perugia unterwarf sich schnell, noch bevor das päpstliche Heer seine Stadt erreichte, der Bentivogli zog sich zurück, nachdem zur römischen Armee französische Truppen gestoßen waren.

So konnte Julius II. am 11. November 1506 unbehelligt in Bologna einziehen. Gut vierzehn Tage später traf Michelangelo ein. Der christliche Kriegsherr und der herrische Künstler söhnten sich aus.

Der Papst hatte einen neuen Auftrag für Michelangelo: eine Bronzestatue Julius' II., die über dem Portal von San Petronio in Bologna aufgestellt werden sollte. Obwohl Schüler eines Erzgießers und Ziseleurs, weigerte der Bildhauer sich anfangs mit dem Argument, der Bronzeguß sei nicht sein Handwerk. Wieder gab es Auseinandersetzungen zwischen den beiden hartköpfigen Männern, den beiden terribili, wie die Zeitgenossen sie nannten.

Der Künstler mußte sich an die Arbeit machen. Er forderte einen hohen Preis; das schreckte den Papst nicht ab.

In einem Tätigkeitsbericht, den Michelangelo 1524 verfaßte, heißt es: *Als Papst Julius dann zum erstenmal nach Bologna ging, wurde ich gezwungen, ebenfalls dorthin zu reisen, und zwar mit dem Strick um den Hals, um ihn um Verzeihung zu bitten. Dort befahl er mir, von ihm eine Statue in sitzender Haltung aus Bronze zu bilden, die ungefähr sieben Ellen* (3,20 Meter) *hoch sein sollte. Als er mich fragte, was sie kosten würde, antwortete ich ihm, daß ich glaubte, sie für 1000 Dukaten gießen zu können, daß dies aber nicht mein Gewerbe sei und daß ich mich nicht dazu verpflichten wolle. Er gab mir zur Antwort: «Geh, führe sie aus und gieße sie so oft, bis sie gelungen ist; und ich werde dir so viel geben, daß du zufrieden sein wirst.»*[28]

Michelangelo hoffte, in drei Monaten fertig zu sein. Der Guß raubte ihm mehr als ein Jahr und wurde zu einer Tragödie im Kleinen. Anfang Dezember begann Michelangelo mit den Vorbereitungen. Er richtete im Pavaglione hinter der Kirche seine Werkstatt ein und verpflichtete drei Florentiner als Mitarbeiter, den Bildhauer Lapo, den Bronzegießer Lodovico und Pietro Urbano.

Aus den Bologneser Tagen ist eine umfangreiche Korrespondenz erhalten, die belegt, wie aus den vorgesehenen drei Monaten fünfzehn werden konnten.

Seinem Bruder Buonarroto schreibt er am 19. Dezember 1506: *Wenn Gott mir beisteht, wie er es immer getan hat, so hoffe ich zur Fastenzeit* (Mitte Februar 1507) *das, was ich hier tun muß, geschafft zu haben.*

In der zweiten Hälfte des Januar hofft er immer noch, seine Statue um Mittfasten gegossen zu haben: *Ich glaube, ungefähr um Mittfasten habe ich meine Figur zum Guß fertig hergerichtet; so möget Ihr denn Gott bitten, daß sie gelinge. Denn, wenn sie mir gut gerät, hoffe ich, Glück mit diesem Papst zu haben, da er mir gewogen ist. Und, wenn ich sie zu Mittfasten gieße, und sie gelingt, so hoffe ich, zum Osterfest* (Anfang April) *dort zu sein.*[29]

Mit seinem Mitarbeiter Lapo bekommt er Ärger. Er sei ein *hinterlistiger und schlechter Kerl,* schreibt er dem Bruder, er habe ihn fortgejagt, und Lodovico habe sich bereden lassen, mitzugehen. Außerdem verbreiteten sie überall, sie seien es, die das Werk schüfen. Und zudem habe Lapo ihn bei den Abrechnungen betrogen. Als die bei-

*Die Basilica di San Petronio in Bologna*

den in Florenz ankommen, berichten sie über das Zerwürfnis mit Michelangelo selbstverständlich so, wie sie es sehen, und behaupten, man könne mit dem Meister nicht arbeiten, er mache mit seinen Wunderlichkeiten allen das Leben schwer. Der Vater, der zwar gutgläubig ist, aber auch seinen Sohn kennt, schreibt Michelangelo, wie Lapo und Lodovico die Angelegenheit darstellen, und Michelangelo antwortet: *... Wahrhaftig, ich weiß wohl, es erschien ihm* (Lapo) *wunderlich, daß ich seiner Gaunerei auf die Spur kam. Acht große Dukaten und die Spesen genügten ihm nicht, vielmehr hat er es noch darauf angelegt, mich zu betrügen; und er mag mich viele Male betrogen haben, wovon ich nichts weiß, denn ich vertraute ihm ...*

Mittfasten kommt, aber die Figur ist nicht gußbereit. Die Lapo-Affäre ist auch noch nicht beigelegt. Michelangelo wird energisch: *... Was den Handel mit diesen beiden Schurken angeht, so habe ich absolut keine Zeit, ihre Gaunereien zu schildern, und ich bitte Euch allesamt – und das sage auch Lodovico* (dem Vater) *–, daß Ihr Euch auf keine Auseinandersetzungen über ihre Angelegenheit einlaßt. Denn wir haben nichts mit ihnen gemein. Und damit Punktum! ...*

Ende März kann er immer noch nicht gießen. Trotzdem ist er zufrieden mit sich: *... Meine Arbeit hier geht, Gott sei Dank, gut voran, und ich hoffe meine Figur im Laufe eines Monats zu gießen.*

*Michelangelo. Zeitgenössisches Bildnis. Florenz, Uffizien*

*Darum bittet Gott, daß das Werk zu einem guten Ende kommt, damit ich schnell nach Florenz zurückkehre, denn ich habe die Absicht, meine Versprechen gegen Euch einzulösen ...*[30]

Die Pest bricht aus. Es berührt ihn kaum. Er erwähnt es fast beiläufig in einem Brief. Die Arbeit hat ihn gepackt, die Umwelt ist vergessen. Als die Familie sich Sorge macht, wird er ironisch: ... *Du schreibst mir von einem gewissen Arzt, Deinem Freund, der Dir gesagt hat, daß die Pest eine böse Krankheit und tödlich sei. Es ist mir wertvoll, das zu erfahren; denn hier grassiert sie stark, und diese Bologneser sind noch nicht dahintergekommen, daß man daran sterben kann. Deshalb wäre es gut, wenn er hierherkäme, denn sicherlich kann er sie durch seine Erfahrungen belehren. Das wäre für sie bestimmt äußerst nützlich. Sonst habe ich Dir nichts mitzuteilen. Ich bin gesund und munter und hoffe, bald dort zu sein ...*

Endlich, gut drei Wochen nach Ostern, kann er berichten: ... *Ich bin wohlauf und habe meine Figur in Wachs vollendet. In der kommenden Woche will ich mit der Herstellung des Lehmüberzuges beginnen, und ich hoffe, daß das in zwanzig oder fünfundzwanzig Tagen getan ist. Dann werde ich den Befehl zum Gießen geben und, wenn es gelingt, in kurzer Zeit dort sein ...*

Inzwischen versuchen die Bentivogli, die Stadt zurückzuerobern. Bologna ist ein einziger Heerhaufen. Michelangelo berührt das ebensowenig wie die Pest. Aus fünfundzwanzig Tagen werden dreiundfünfzig. Am 20. Juni schreibt er an Buonarroto: ... *Wisse, sie ist noch nicht gegossen; doch nächsten Sonnabend* (26. Juni) *gießen wir sie bestimmt. Ich hoffe also in wenigen Tagen dort zu sein, wenn sie, wie ich glaube, gelingt ...*[31]

Ende Mai war der neue Gußmeister Bernardino angekommen. Am 1. Juli ist die Statue gegossen.

*Wir haben meine Statue gegossen; aber sie hat sich derart schlecht aus der Form gelöst, daß ich fest damit rechne, sie noch einmal machen zu müssen. Ich schreibe Dir die Einzelheiten nicht, weil ich an anderes zu denken habe: genug, der Guß ist mißlungen ...*

Trotzdem tröstet er sich und die Angehörigen. Seine Widerstandskraft ist titanisch: ... *Dennoch danke ich Gott, weil ich glaube, daß alles nur zum besten ist. Ich werde in wenigen Tagen wissen, was ich zu tun habe, und Dir dann Nachricht geben. Berichte Lodovico, und bleibt guten Mutes.*[32]

Fünf Tage später geht ein genauerer Bericht nach Hause: ... *Meister Bernardino hat aus Unkenntnis oder Ungeschick das Metall nicht gut geschmolzen. Über das Wie zu schreiben, wäre zu weitläufig. Kurz und gut, meine Statue ist bis zum Gürtel herausgekommen. Der Rest der Gußmasse, das heißt, die Hälfte des Metalls, ist im Ofen steckengeblieben, weil sie nicht hinreichend geschmolzen war, so daß ich den Ofen zertrümmern muß, um sie herauszubringen. Das werde ich auch tun und ihn noch diese Woche neu errichten lassen. Nächste Woche will ich den oberen Teil noch einmal gießen und die Ausfüllung der Form beenden. Ich hoffe, daß sich die Sache doch noch vom Bösen zum Guten wendet, wenn auch nicht ohne größte Aufregung, Mühe und Kosten. Ich hätte geglaubt, daß Meister Bernardino imstande sei, ohne Feuer zu schmelzen; solches Vertrauen setzte ich in ihn. Nichtsdestoweniger ist er ein tüchtiger Meister, der sein Werk mit Liebe getan hat. Doch Irren ist menschlich. Er hat die Erwartungen sehr enttäuscht, zu meinem und auch zu seinem Schaden, weshalb man ihn derart getadelt hat, daß er sich in Bologna nicht mehr sehen lassen kann ...*

Am 10. Juli berichtet er, der Guß des mißlungenen oberen Teils sei wiederholt worden und fährt fort: *...Ich habe aber noch nicht feststellen können, wie es darum steht, weil der Lehm derart heiß ist, daß man ihn nicht abschälen kann. Nächste Woche werde ich wissen, was los ist, und Dir Bescheid geben. Meister Bernardino reiste gestern von hier ab. Sollte er Dich darauf ansprechen, so mach ihm ein freundliches Gesicht, und damit Schluß.*

Die Art, wie er sich vor seinen Gußmeister stellt, widerlegt die Behauptungen, er habe seine Mitarbeiter ungerecht behandelt. Er fand eben nur selten Männer, die wie er nur der Sache hingegeben waren und nicht ihre Zeit darauf verwandten, ihn auszunutzen oder gar zu betrügen.

Die Statue ist besser gekommen, als er zu hoffen wagte. Für die Reinigung rechnet er am 2. August anderthalb Monate. Wieder packt ihn die Ungeduld: *...Mir ist, als dauerte es noch tausend Jahre.*[33] Der Termin, den er sich setzte, verstreicht. Nun will er es bis zu Allerheiligen schaffen. Der 1. November kommt, ohne daß die Arbeit beendet ist.

*Wisse, daß ich noch viel mehr als Ihr wünsche, bald nach Florenz zurückzukehren. Denn ich lebe hier in größter Beschwer und äußerster Mühsal und denke Tag und Nacht nur ans Arbeiten. Und ich habe mich derart abgerackert und tue es noch, daß ein Leben, glaube ich, nicht ausreichen würde, wenn ich noch einmal Gleiches durchzustehen hätte, denn es hat sehr viel Arbeit gekostet. Wenn es ein anderer unter den Händen gehabt hätte, so wäre er schlecht damit fertig geworden. Aber ich glaube, irgend jemand hat mir mit Gebeten beigestanden und mir meine Gesundheit erhalten, denn ich habe die Statue gegen die Meinung ganz Bolognas vollendet. Als sie gegossen wurde und schon vorher gab es auch nicht einen, der daran glaubte, daß ich sie überhaupt jemals gießen würde ...*[34]

Gegen ganz Bologna hat er das Werk vollendet. Wie so oft, findet er im Widerstand seinen Kraftquell. Nicht nur Neider und Spötter werden ihm das Leben schwer gemacht haben, auch die Anhänger der Bentivogli haben gewiß das Ihre getan, um dem Meister, der für den Feind ein Denkmal schuf, Hindernisse in den Weg zu legen. Weihnachten kommt und das neue Jahr, und Michelangelo ist noch in Bologna. Er gibt nicht auf. Seine Zuversicht und der Wille, das Begonnene zu vollenden, sind unerschütterlich, die Stunden des Zweifels und der Ungeduld nur kurz. Den Trost, der ihm gebührt, spendet er der Familie.

Um die Jahreswende begegnet er einer schönen Bologneserin. Eines seiner ersten Liebesgedichte entsteht:

*Der goldne Kranz, sieh, wie er voll Entzücken*
*das blonde Haar mit Blüten rings umfängt;*
*es darf die Blume, die am tiefsten hängt,*
*den ersten Kuß auf deine Stirne drücken.*

*Wie freudig das Gewand den langen Tag*
*sich um die Schulter schließt und wieder weitet*
*am Hals, zu dem das Haar herniedergleitet,*
*das dir die Wangen gern berühren mag.*

*Sieh aber hier, wie mit verschränkten Schnüren*
*nachgiebig und doch eng das seidne Band*
*beglückt ist, deinen Busen zu berühren.*

*Der Gürtel spricht: Laß mich die Lust genießen,*
*daß ewig meine Haft dich so umspannt –!*
*Wie würden da erst Arme dich umschließen!*
(Übersetzung: Herman Grimm) [35]

Das Sonett entkräftet, ganz nebenbei, all jene so oft geäußerten Vermutungen, Michelangelo habe den Frauen keine Neigung entgegengebracht. Diese Neigung findet hier sehr beredte Worte.

Der Januar kommt. Um die Mitte des Monats ist die Statue vollendet. Doch gegen die ursprüngliche Abrede hatte ihm Julius befohlen, die Aufstellung zu überwachen. Er wartet vierzehn Tage, wartet vier Wochen darauf, daß es geschieht. Dann aber ist es mit seiner Geduld zu Ende.

*Buonarroto.*
*Es ist nun schon vierzehn Tage her, daß ich hoffte, dort zu sein, weil ich der Meinung war, sie würden mein Standbild gleich nach der Fertigstellung aufrichten. Nun aber vertrösten mich die Leute von einem Tag auf den anderen und tun nichts. Ich aber habe vom Papst den Befehl, nicht eher abzureisen, als bis es steht. Es hat den Anschein, als sollte ich daran gehindert werden. Ich werde mir das noch diese ganze Woche mit ansehen. Wenn sie dann keine Anstalten machen, werde ich auf jeden Fall nach Florenz kommen, ohne mich um den Befehl zu kümmern.*[36]

Am 21. Februar 1508 wurde die Statue an der Fassade von San Petronio hochgezogen und über dem Portal aufgestellt. Die Gebärde der erhobenen Rechten war doppeldeutig, segnend und drohend zugleich. Michelangelo konnte heimkehren, mit viereinhalb Dukaten Gewinn, wie er behauptet.

Knapp vier Jahre später war die «schönste Statue Italiens» zertrümmert. Die Bentivogli waren zurückgekehrt. Die päpstlichen Truppen standen vor der Stadt. Ein Herold, der Übergabe forderte, wurde ins Gefängnis geworfen. Noch am gleichen Tage donnerte das Erzbild Julius' II. auf die durch Reisig und Stroh geschützte Kirchentreppe. Die Bronzetrümmer benutzte Alfonso d'Este, der Herzog von Ferrara, zum Kanonenguß. Den Kopf der Statue bewahrte er in seiner Kunstsammlung. Von dort verliert sich die Spur.

Als die Kunde von der Vernichtung seiner mühevollen Arbeit zu Michelangelo gedrungen war, entwarf er schwermütig acht Zeilen eines Sonetts:

*Wenn höchste Kunst des Menschen sterblich Bild,*
*sein Antlitz, formt, lebendiges Bewegen*
*aus Wachs, aus Ton, aus Stein, Entzücken hegen*
*wird jeder Geist, dem Schönheit alles gilt.*

*Wenn aber böse Zeiten, roh und wild,*
*das Bild zerbrechen unter frevlen Schlägen,*
*wird noch Erinnerung seine Schönheit pflegen.*
*So dient dem Höheren, was man eitel schilt.*
*...*[37]

Die Werkgeschichte des Erzbildes ist typisch für die Umstände, unter denen Michelangelo ein Leben lang schaffen mußte: von außen bedrängt, von innen getrieben; in unruhigen Zeiten lebend, während Krieg und Pestilenz durch die italienischen Lande zogen, auf ungetreue oder unfähige Mitarbeiter angewiesen, bedrückt durch alle Sorgen des Alltags. Deshalb wurde sie hier, bei Auslassung vieler Einzelheiten, so ausführlich beschrieben.

Michelangelo war nicht nur terribile gegen andere, er wütete schrecklicher gegen sich. Ohne seine ungeheuere Widerstandskraft hätte er die körperlichen Anstrengungen, die er sich abforderte, nicht ertragen. Er lebte bescheiden. Er war ein mäßiger Esser. Seine Mahlzeiten bestanden häufig nur aus Brot, Käse und Wein. Der Schlaf war ihm ein notwendiges Übel. Oft warf er sich so, wie er die Arbeit verließ, bekleidet und gestiefelt auf sein Bett. Zog er sein Schuhwerk, nachdem er es tagelang getragen hatte, endlich aus, so geschah es nicht selten, daß er mit den Stiefeln seine Haut «wie eine Schlangenhaut» abriß. Zu Condivi pflegte er zu sagen: *Ascanio, so reich ich geworden bin, habe ich doch immer wie ein armer Mann gelebt.*

Was *nicht alle Grenzen durchbricht von Kunst und Leben*[38], bleibt für Michelangelo verächtliches Mittelmaß. Spannung–Gegenspannung–Synthese bestimmen sein antithetisches Lebensgefühl.

In seinen Gedichten, die bis auf wenige Gelegenheitsstücke im Erleben und Erkennen gründen, wird diese Triebkraft seiner Natur offenbar. Es gibt drei Sonettanfänge, die das Thema der Antithese anschlagen und daher wahrscheinlich als erste Entwürfe zu einem Ganzen zu betrachten sind:

*Was glüht und sengt mich, läßt mich tiefer leben.*
*So mögen Holz und Wind das Feuer fachen!*
*Weil er mich stärkt, kann ich des Angriffs lachen,*
*die größre Not wird größre Freude geben.*
...

*Ich leb' im Tode. Wenn ich's wahr bekenne,*
*leb' glücklich ich im Unglück, möcht's nicht missen.*
*Wer nie gelebt von Tod und Kümmernissen,*
*ins Feuer komme er, darin ich brenne.*
...

*Verjagt vom Feuer, seiner Glut beraubt,*
*muß sterben ich, wo andre glücklich leben.*
*Was brennt und sengt, nur kann mir Nahrung geben.*
*Was andre tötet, stärkt mir Leib und Haupt.*
...[39]

Er kannte die Folgen seiner wütenden Schöpferkraft:

*Ich leb' die Sünde und ich leb' den Tod,*
*leb' nicht vom Leben mehr, leb' nur vom Schaden.*
*Das Gute bot der Himmel, seinen Gnaden*
*zog ich das Böse vor. Gier ward mein Brot,*
*Freiheit ward meine Magd, das Sterbliche mein Gott.*
*Unsel'ger ich! Auf hemmungslosen Pfaden*
*in welches Leben bin ich nun geraten!* [40]

# DIE CAPPELLA SISTINA

## So verliere ich meine Zeit

*Ich vermerke, daß ich, der Bildhauer Michelagniolo, heute, am 10. Mai 1508, von Seiner Heiligkeit, unserem Papst Julius II., 500 Kammerdukaten empfangen habe, welche mir der Kämmerer Messer Carlino sowie Messer Carlo degli Albizzi à conto der Deckenausmalung in der Kapelle des Papstes Sixtus ausgezahlt haben. Ich beginne heute mit der Arbeit unter jenen vertraglichen Bedingungen, die sich aus einer von meiner Hand unterzeichneten Niederschrift Seiner Ehrwürden des Monsignore von Pavia ergeben.*[41]

Michelangelo war nach einem kurzen Aufenthalt in Florenz vom Papst wieder nach Rom berufen worden und glaubte, er könnte sich nun ganz dem Grabdenkmal widmen. Aber der Pontifex hatte eine neue Aufgabe für ihn. Michelangelo sollte die Decke der Sixtinischen Kapelle ausmalen. Es kam damals das Gerücht auf – und es hat sich bis heute in der Literatur erhalten –, daß Bramante eine

*Erste Skizze zum ursprünglichen Plan der Deckengemälde in der Sixtinischen Kapelle. Feder. Daneben Studien zu Armen und Händen. Kohle. London, British Museum*

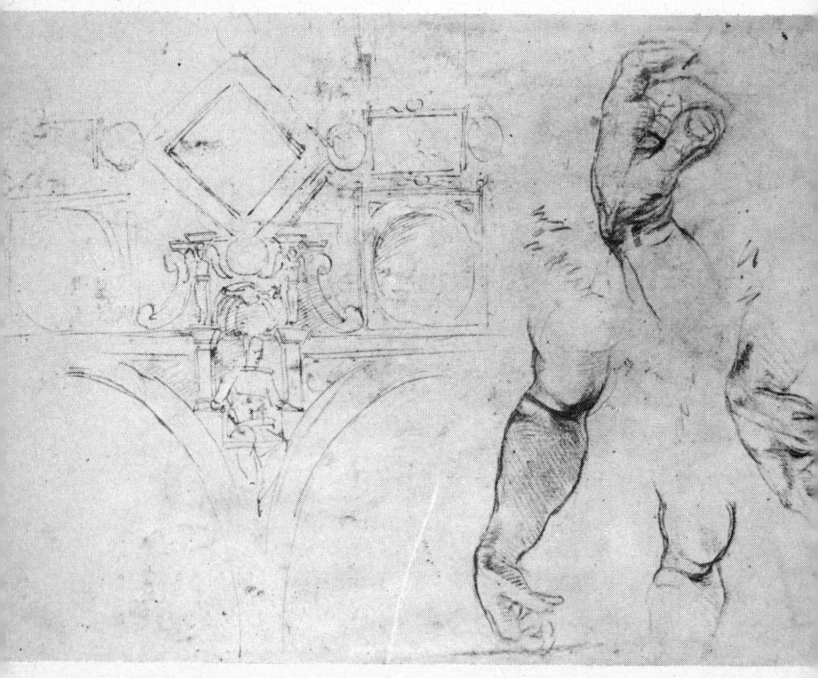

Intrige gegen Michelangelo gesponnen und den Papst beeinflußt habe, den Bildhauer mit einer malerischen Aufgabe zu betrauen, um den Unerreichten auf einem ihm fremden Gebiet scheitern zu lassen. Das ist sehr unwahrscheinlich. Zum einen gab es einen wichtigen äußeren Anlaß für Julius II.: Kapellendach und Decke mußten restauriert werden. Zum anderen war Michelangelo durch die Schule eines Ghirlandaio gegangen, der ihn mit der Freskentechnik vertraut gemacht hatte. Bramante wußte dies und war nicht so einfältig, zu glauben, daß Michelangelo al fresco versagen könnte. In Wirklichkeit wird es so gewesen sein, daß Giuliano da Sangallo dem Papst zugeraten hat, Michelangelo die Ausführung der Deckengemälde anzuvertrauen.

Michelangelo aber wollte nicht. Er schlug Raffael vor. Der Papst ließ sich auf nichts ein, auch nicht auf Michelangelos falsche Behauptung, er verstehe nichts von der Freskenmalerei, sie sei ein ihm fremdes Handwerk.

Der erste Vertrag, auf den sich Michelangelo in seiner Tagebuchnotiz bezieht, wurde nach kurzer Zeit durch einen neuen ersetzt, weil dem Künstler der erste Vorwurf zu gering erschien. Danach waren zwölf Apostelgestalten in den Lünetten vorgesehen, die Decke sollte ornamental aufgegliedert werden. Obwohl der Kontrakt Thema und Umfang der Malerei genau festlegte, versuchte Michelangelo die Aufgabe zu vergrößern, nachdem ihn der schöpferische Impetus gepackt hatte und die herrische und herrlich bewegte Gestalt Gottvaters sich in seinem Geist zu bilden begann. Es gab einen erregten Disput mit Julius, der ihn schließlich mit den Worten beendete: «Mach, was du willst!» So bekam Michelangelo in allem freie Hand. Inzwischen hatte Bramante ein Gerüst errichtet, das im Gewölbe der Kapelle verankert war. Als Michelangelo ihn fragte, wie man nach Beendigung der Malerei die Löcher ausfüllen solle, meinte der Architekt: «Das wird sich finden, anders läßt es sich nicht machen.» Michelangelo ließ das Gerüst Bramantes daraufhin wieder abbrechen und ein neues aufstellen, das die Mauern nicht berührte. Er begann sofort mit den Kartons, bestellte Material und Farben und verpflichtete Florentiner Maler als Gesellen. Die blaue Farbe kaufte er wie immer bei den Jesuaten, einer Laienbruderschaft, die Askese und Nächstenliebe übte. Sie konnten ihn, wie er meinte, am besten bedienen, obwohl er niemals mit dem Blau, das er erhielt, zufrieden war. Der Brief an die Jesuatenbrüder hat auch Bedeutung für die Frage, ob er die Decke allein oder mit Gehilfen ausmalte.

*Bruder Jacopo, da ich hier gewisse Dinge malen lassen muß oder auch selbst zu malen habe, so ergreife ich die Gelegenheit, Euch davon zu benachrichtigen, weil ich ein bestimmtes Quantum guten Blaus benötige. Wenn Ihr in der Lage sein solltet, mich gleich damit zu bedienen, so würde mir das sehr gelegen kommen. Sucht darum alles, was Ihr davon besitzt, hierherzuschicken. Euer Michelagniolo, Bildhauer in Rom.*

Wie in seinem Tagebuch, so spricht er auch hier von sich als dem

*Michelangelo im Alter von 47 Jahren.*
*Gemälde von Giuliano Bugiardini. Paris, Louvre*

Bildhauer, als wollte er vor sich und der Welt immer wieder dokumentieren, daß er nichts anderes sei und den Freskenauftrag nur widerwillig übernommen habe. Auch wenn er sich, was selten geschieht, kunsttheoretisch äußert, stellt er die Skulptur über das Gemälde. Er sagt: ... *Die Malerei erscheint mir um so besser, je mehr sie sich dem Relief nähert, und das Relief um so schlechter, je mehr es sich an die Malerei anlehnt. Darum hielt ich die Bildhauerkunst stets für die Leuchte der Malerei und beide so verschieden voneinander wie Sonne und Mond.*

Und an anderer Stelle: ... *Die Malerei verhält sich zur Bildhauerkunst wie das Dunkel der Unwissenheit zum Licht der Erkenntnis.*[42]

Nach dem Schreiben an die Jesuaten hatte er die Absicht, andere an der Ausführung zu beteiligen. Es waren fünf Mitarbeiter, wie aus seinem Hausbuch hervorgeht: *Für die Malergesellen, die, fünf an der Zahl, aus Florenz kommen sollen, zwanzig Kammerdukaten in Gold für jeden unter folgender Bedingung: Wenn sie hier sein werden und wir miteinander einig geworden sind, sollen die besagten zwanzig Dukaten jedem, der sie empfangen hat, auf sein Gehalt angerechnet werden. Das besagte Gehalt wird von dem Tage an verrechnet, an dem sie Florenz verlassen, um hierher zu kommen. Wenn wir uns nicht einig werden, so sollen sie die Hälfte der genannten Summe als Ersatz für ihren Zeitverlust und für Auslagen erhalten, die sie durch die Reise gehabt haben.*[43]

Bei der Auswahl der Mitarbeiter half ihm ein alter Freund, der mit ihm bei Ghirlandaio und Bertoldo studiert hatte: Francesco Granacci. Die Maler waren: Giuliano Bugiardini, Jacopo di Sandro, Jacopo L'Indaco, Bastiano da Sangallo und Agnolo di Donnino. Obwohl sie anerkannte Künstler waren, spricht er in seinem Vermerk von garzoni, von Gesellen. Daraus geht seine Einstellung hervor. Er betrachtete sie nur als Helfer, als Handlanger für nebensächliche Arbeiten. Sie verließen ihn alle wieder. Sicher hat es Auseinandersetzungen gegeben, weil Michelangelo sie nicht an die eigentliche Arbeit heranließ; aber in den groben Formen, wie es Vasari schildert, wird man sich nicht getrennt haben. Mit Granacci, der ihm länger, auch noch von Florenz aus, assistierte, blieb er immer befreundet. Handlanger hat er während der ganzen vier Jahre gehabt, doch das Werk führte er allein aus, bis auf etliche rein dekorative Partien.

Mit dem Malen begann er wahrscheinlich nicht vor Anfang 1509, und zwar, vom Haupteingang aus, mit der *Sintflut*. Es folgten dann *Noahs Opfer* und die *Trunkenheit Noahs*. Gleich bei der Arbeit an der *Sintflut* setzten die aufgetragenen Farben Schimmel an. Michelangelo war darüber so erregt, daß er das Werk aufgeben wollte. Sein Freund Sangallo beschwichtigte ihn, indem er ihn darüber aufklärte, daß der römische Kalk, der weniger hart war als der Florentiner, trokkenere Farbe verlangte. Aufs neue bestieg Michelangelo das Gerüst, unzufrieden mit sich und seiner Arbeit. Er schreibt seinem Vater am 27. Januar 1509: ... *Ich weiß gar nicht, was ich machen soll. Denn ich habe seit fast einem Jahr nicht einen Groschen von diesem Papst bekommen; ich verlange auch nichts, weil meine Arbeit nicht so vorangeht, als daß ich Anspruch darauf erheben könnte. Das liegt an der Schwierigkeit des Werkes und daran, daß sie nicht in mein Fach schlägt. So verliere ich meine Zeit ohne Nutzen. Gott möge mir helfen!*

*Dieser Tage ist jener Maler Jacopo* (di Sandro), *den ich herkommen ließ, abgereist. Da er sich hier über meine Angelegenheiten beklagt hat, so wird er es, wie ich annehme, auch dort tun. Überhört es mit Fleiß, denn er hat tausendmal unrecht, und ich hätte triftige Gründe, mich über ihn zu beklagen. Tut so, als ob Ihr ihn gar nicht seht.*[44]

## Familiensorgen

Daheim in Florenz stand nicht alles zum besten. Der Vater hatte Geldsorgen, wie immer, und seine Not mit den Brüdern, besonders mit Giovansimone. Ihm und Buonarroto hatte Michelangelo seit langem die Einrichtung eines Geschäftes versprochen. Francesco, der Bruder des Vaters, war im Juni 1508 gestorben. Um das Erbe prozessierten der Vater und die Witwe. Zwei bittere Briefe gingen daher Ende Juni 1509 nach Florenz ab. Der eine ist an den Vater gerichtet:

*Ehrwürdigster Vater.*

*Ich habe durch Euren letzten Brief erfahren, wie die Angelegenheiten dort stehen, und wie sich Giovansimone beträgt. Das war die schlechteste Nachricht seit zehn Jahren, die mir der Abend brachte, an dem ich Euren Brief las. Denn ich glaubte ihre Angelegenheiten so geordnet zu haben, daß sie hoffen durften, mit meiner Unterstützung ein gutgehendes Geschäft aufzubauen, wie ich es ihnen versprochen habe. Auch nahm ich an, daß sie sich, von dieser Hoffnung getragen, bemühten, tüchtige Kaufleute zu werden und zu lernen, um dann, wenn die Zeit gekommen ist, auch wirklich ein Geschäft führen zu können. Nun aber sehe ich, daß sie – und Giovansimone besonders – das Gegenteil tun, und muß feststellen, daß es nichts nützt, wenn man ihnen Gutes erweist. Hätte ich nur an dem Tage, als ich Euren Brief bekam, gekonnt, ich hätte mich aufs Pferd geschwungen und gleich alles selbst in die rechte Ordnung gerückt. Da mir das aber nicht möglich war, so schreibe ich ihm einen Brief, wie ich ihn für notwendig erachte. Und wenn er sich von jetzt an nicht grundlegend ändert oder auch nur eines Zahnstochers Wert aus dem Hause nimmt oder etwas anderes Euch Mißliebiges anstellt, so zeigt es mir, bitte, an. Ich werde mir dann Urlaub vom Papst zu erwirken suchen, nach dort kommen und ihm seine Verfehlung verweisen. Ihr sollt fest überzeugt sein, daß ich alle Drangsale, die ich je auf mich genommen habe, für Euch nicht weniger als für mich selbst ertrug; und alles, was ich anschaffe, habe ich angeschafft, damit es Euch gehöre, solange Ihr lebt. Denn wäret Ihr nicht gewesen, so hätte ich es nicht angeschafft. Wenn es Euch also gefällt, das Haus zu vermieten und das Gut zu verpachten, so tut es nach Eurem Belieben.*

*Mit den Einkünften daraus und mit dem, was ich Euch geben werde, könnt Ihr wie ein Herr leben. Und käme nicht gerade der Sommer, so würde ich Euch anraten, es gleich zu tun und hierherzukommen und bei mir zu wohnen. Aber es ist nicht die Jahreszeit danach, denn im Sommer würdet Ihr es hier kaum aushalten. Ich habe schon daran gedacht, ihm das Geld, das er im Geschäft stehen hat, zu nehmen und es Gismondo zu geben, damit er und Buonarroto sich, so gut sie es nur können, zusammentun. Ihr mögt dann die Häuser dort und das Landgut zu Pazzolatico vermieten und Euch mit den Einkünften daraus und mit der Unterstützung, die ich Euch noch geben werde, an irgendeinen Ort zurückziehen, wo Ihr Euch wohl fühlt, und Euch jemanden halten, der Euch versorgt, das mag nun in Florenz sein oder außerhalb. Diesen Taugenichts könnt Ihr dann mit dem Hintern in der Hand stehen lassen. Ich bitte Euch, denkt an Euch selbst. Ich will Euch nach bestem Wissen und Gewissen in allem beistehen, was Ihr auch unternehmen wollt, wenn es um Euer Interesse geht. Gebt Bescheid.*[45]

Der Bruder Giovansimone erhält am gleichen Tag einen zurechtweisenden Brief.

*Ein guter Mensch, so sagt man, wird besser, wenn man ihm mit Güte begegnet, ein böser wird dadurch nur schlechter. Ich habe nun seit Jahren versucht, Dich durch gute Worte und Taten zu bewegen, daß Du mit Deinem Vater und uns anderen in Frieden und Eintracht lebst. Du aber treibst es stets nur noch schlimmer. Ich will Dir nicht gerade sagen, daß Du schlecht bist; doch Du benimmst Dich so, daß keiner mehr etwas von Dir hält, ich nicht und die anderen auch nicht. Ich könnte Dir eine lange Rede darüber halten, aber es blieben doch nur Worte, wie ich sie Dir schon oft gab. Ich will Dir, um es kurz zu machen, nur sagen, es ist eine unumstößliche Tatsache, daß Du nichts auf dieser Welt Dein eigen nennst, und daß ich es war, der Deinen Unterhalt bestritt und für Deine Heimkehr ins väterliche Haus sorgte. Bis heute bin ich für Dich aufgekommen, um der Gnade Gottes willen und auch, weil ich glaubte, Du wärest wie die anderen mein Bruder. Nun aber weiß ich, daß Du nicht mein Bruder bist. Denn wärest Du es, so hättest Du meinem Vater nicht gedroht. Im Gegenteil, Du bist ein Tier, und ich werde Dich wie ein Tier behandeln. Du weißt gut genug, jeder, der seinen Vater bedroht oder beschimpft sieht, wird sein Leben für ihn einsetzen; das ist so. Ich sage, Du besitzest nichts auf der Welt, und wenn ich noch einmal auch nur das geringste über Dich höre, so werde ich sofort nach dort kommen, Dir Deine Verfehlung verweisen und Dich lehren, Dein Hab und Gut zu verschwenden und das Feuer an Häuser und Güter zu legen, die nicht Du erworben hast. Du lebst in falschen Vorstellungen. Wenn ich aber nach dort komme, wirst Du schon lernen, heiße Tränen zu vergießen und den schwankenden Grund Deines Hochmutes zu erkennen.*

*Ich wiederhole es Dir: Wenn Du gelobst, ein anderes Leben zu beginnen und Deinem Vater mit höchster Achtung zu begegnen, so werde ich Dir weiterhelfen wie den anderen und Euch in kurzem ein gutes Geschäft einrichten. Handelst Du aber anders, so komme ich dorthin und bringe Deine Angelegenheiten so in Ordnung, daß Du ein für allemal erkennst, wer Du bist, und erfährst, was Du auf dieser Welt besitzest, und das überall vor Augen hast, wohin Dich Dein Weg auch führt. Das ist alles. Wenn ich das Reden satt habe, werde ich Tatsachen entscheiden lassen.*

*Michelagniolo in Rom.*

*Zwei Zeilen muß ich Dir noch schreiben, nämlich dies: Seit zwölf Jahren bin ich in Elend und Armut durch ganz Italien gewandert. Ich habe jede Schande ertragen, jede Entbehrung auf mich genommen, meinen Körper mit jeder erdenklichen Plackerei gemartert, mein Leben tausend Gefahren ausgesetzt, nur um den Meinen zu helfen. Und nun, wo ich anfange, Euch ein wenig in die Höhe zu bringen, möchtest Du allein in einer Stunde das zerstören und vernichten, was ich in so vielen Jahren und mit so unendlicher Mühe aufgebaut habe. Beim Leibe Christi, das soll nicht geschehen! Ich will schon, wenn es sein muß, mit zehntausend von Deiner Sorte fertig werden. Sei nun vernünftig und versuche mich nicht, denn mein Zorn ist stärker als Du.*[46]

## Der Ort taugt nichts, auch wenn ich Maler wäre

Ein Vierteljahr später hatten sich die Wogen geglättet. Michelangelo aber quälte sich weiter mit seinem Werk. Er schreibt dem Bruder Buonarroto: *... Ich freue mich, daß Giovansimone angefangen hat, sich zu bessern. Bemüht Euch, Euer Vermögen redlich zu vermehren oder zumindest zu bewahren, damit Ihr Euch später auch an einem größeren Geschäft beteiligen könnt. Ich lebe hier in schwerer Sorge und unter größten körperlichen Anstrengungen ...*[47]

Welcher Art diese Anstrengungen sind, beschreibt ein geschwänztes Sonett an einen Bekannten namens Giovanni da Pistoia, über dessen Persönlichkeit nichts bekannt ist.

*Schon wächst ein Kropf mir über diesem Placken,*
*wie Katzen vom lombard'schen Wasser, auch*
*in andern Ländern mehr, wo Kröpfe Brauch;*
*ans Kinn ist mir der Leib wie angebacken.*

*Den Bart reck' ich gen Himmel, mit dem Nacken*
*rückwärts gelehnt, und mit Harpyien-Bauch,*
*derweil der Pinsel, immer überm Aug',*
*ein schön Mosaiko kleckt auf die Backen.*

*Die Lenden kriechen tief mir in den Ranzen,*
*den Steiß ball' ich zum Knäul als Widerlage,*
*nicht einen Strich seh' ich, den ich gezogen.*

*Nach hinten schrumpft das Leder mir zu Fransen,*
*je mehr ich vorn mich auszudehnen plage,*
*und krümme mich als wie ein Syrerbogen.*

*Weshalb doch sehr erlogen*
*die Meinung scheint, und wie erdacht von Toren,*
*daß man nicht schieß aus krummen Blaserohren.*

*Johann, mein totgeboren*
*Bild nun verteid'ge du, und meine Ehre!*
*Der Ort taugt nichts, auch wenn ich Maler wäre.*
(Übersetzung: Gottlob Regis) [48]

Endlich, im August 1510, ist der erste Teil des Werkes getan. Er schreibt an den Bruder Buonarroto: *Für mich hier ist ein Tag wie der andere, und ich werde mein Gemälde endlich nächste Woche fertig haben, das heißt den Teil, den ich angefangen habe. Wenn ich es enthüllt habe, hoffe ich Geld zu erhalten. Auch werde ich mich bemühen, einen Monat Urlaub nach Florenz zu bekommen. Ich weiß nicht, ob etwas daraus wird. Ich hätte ihn schon nötig, denn ich bin nicht gerade gesund. Ich habe keine Zeit, ausführlicher zu schreiben.*[49]

Der vollendete Teil der Deckengemälde umfaßte *Noahs Trunkenheit*, die *Sintflut*, *Noahs Opfer*, *Sündenfall und Vertreibung aus dem Paradies* und die *Erschaffung Evas*, fünf Historien von neun, ferner die dazugehörigen Propheten, Sibyllen und die Stichkappen.

Michelangelo bekam das erhoffte Geld nicht. Julius II. war wieder einmal mehr Kriegsherr als mäzenatischer Papst. 1508 hatte er mit Kaiser Maximilian, Ferdinand von Aragón und Ludwig XII. von Frankreich die Liga von Cambrai geschlossen, die sich gegen Venedig richtete. Der Bund erreichte sein Ziel, zerschlug die Seemacht und teilte ihr Gebiet auf. Venedig verlor damals unter anderen die Städte Padua, Piacenza und Verona. Davon kam das Gebiet von Piacenza zum Kirchenstaat. Nachdem Julius bekommen hatte, was er begehrte, trennte er sich von der Liga und schloß ein Bündnis mit Venedig, um die französische Macht in Italien zu brechen. Dieses politische und kriegerische Hin und Her, das den Freund von gestern zum Feind von morgen machte, und die diffizilen diplomatischen Aktionen nahmen den Papst mehr in Anspruch, als Michelangelo recht war. So mußte er zweimal nach Bologna reisen, um Geld für die Weiterarbeit zu erbitten. Er bekam dort nichts, sondern erhielt erst später in Rom eine Abschlagszahlung. Im ganzen wurden ihm für die Fresken 6000 Dukaten ausgezahlt, nicht, wie die Biographen Condivi und Vasari mitteilen, nur 3000.

*Kopf des Ignudo zur Linken der erythräischen Sibylle. Rom, Cappella Sistina*

Während der Papst mit seinem Heer im Raum von Bologna und Ferrara stand, setzte Michelangelo sein Werk fort. Da sich die kriegerischen Ereignisse politisch auch auf Florenz auswirkten, machte er sich Sorgen um seine Familie. Immer mußte er den Vater beruhigen und trösten: *Aus Eurem letzten Brief ersehe ich, wie die Dinge laufen. Es tut mir leid genug: aber ich kann Euch nicht weiterhelfen. Doch seid darüber nicht allzu bestürzt und zahlt keine Unze Schwermut dafür.*[50]

So wie er die Maler, die ihm helfen sollten, von Florenz holte, so suchte er auch nach einem Hausgesellen in der Heimat. Er bittet seinen Vater, danach Umschau zu halten: *... Auch wäre es mir angenehm, wenn Ihr Euch erkundigt, ob es dort irgendeinen Jungen gibt, der armer, rechtschaffener Leute Kind und an Mühsal gewohnt ist und der Lust hat, in meine Dienste zu treten, um mir im Haushalt zur Hand zu gehen, das heißt, einzuholen und die nötigen Besorgungen zu machen. In seiner Freizeit könnte er lernen. Wenn Ihr einen gefunden habt, benachrichtigt mich. Hier findet man nämlich nur Gauner. Ich brauche notwendig jemand. Das ist alles. Ich bin, Gott sei Dank, gesund und arbeite ...*[51]

Mit dem Jungen, den man ihm schickte, war er unzufrieden:

*Ehrwürdiger Vater.*

*Für den Jungen, der hier angekommen ist, hat mich der Gauner von einem Maultiertreiber um einen Dukaten erleichtert. Er schwor hoch und heilig, daß ein Preis von zwei großen Golddukaten vereinbart worden sei. Dabei zahlt man für alle Jungen, die mit Maultiertreibern hierherkommen, nicht mehr als zehn Karlinen. Ich habe mich mehr darüber geärgert, als wenn ich fünfundzwanzig Dukaten verloren hätte, denn ich sehe wohl, daß es dem Vater darauf ankam, seinen Sohn höchst vornehm auf einem Maultier zu schicken. Ach, ich habe es niemals so gut gehabt, ich nicht! Der Vater hatte mir zudem gesagt, und der Junge ebenfalls, daß er jede Arbeit verrichten und, wenn nötig, auch auf der Erde schlafen würde. Dabei muß ich ihn bedienen. Das Geschäft fehlte mir gerade noch zu allem übrigen, was ich zu tun habe, seit ich zurückgekehrt bin. Denn mein Lehrbube, den ich hierließ, liegt vom Tage meiner Rückkehr bis heute krank darnieder. Wohl geht es ihm jetzt besser, aber er hat, von den Ärzten aufgegeben, einen Monat zwischen Leben und Tod geschwebt, so daß ich nicht ins Bett gekommen bin; alles andere nicht gerechnet. Und dann kommt so ein dürrer Scheißkerl von einem Jungen daher und sagt wahrhaftig, er wolle keine Zeit verlieren, er wolle etwas lernen. Dort aber sagte er mir, zwei oder drei Stunden am Tage genügten ihm. Jetzt reicht ihm nicht einmal mehr der ganze Tag, denn er will auch die ganze Nacht zeichnen. Das sind die Eingebungen des Vaters. Wenn ich ihm deshalb etwas sagen würde, so hieße es gleich, ich wollte nicht, daß er etwas lerne. Ich muß aber jemand haben, der mich bedient. Wenn er nicht gesonnen war, das zu tun, so durfte man mich nicht in diese Unkosten stürzen. Aber sie sind*

rzi da sopra decti cavalcanti pli dua mesi passati cio e febraio
o marzo

E a dì ventuno di gugnio o ricevuto da sopradecti cavalcanti e giraldi scudi nonantuno e dua terzi doro in oro p. il sopra decto coto pli dua mesi passati cio e aprile o maggio

E più a dì ventuno dagosto o ricevuto da sopra decti cavalcanti e giraldi scudi nonantuno e dua terzi doro in oro pel sopra decto coto pli dua mesi passati cioe gugnio e luglio

E più a dì sedici doctobre o ricevuto da sopra decti cavalcati e giraldi scudi nonantuno e dua terzi p. il sopra decto coto pli dua mesi passati cioe agosto e septebre

E più a dì venti di dicebre o ricevuto da sopra decti cavalcati e giraldi scudi nonantuno e dua terzi doro in oro p. il sopra decto coto pli dua mesi passati cioe octobre e novebre

E più o ricevuto a dì venti di febraio da sopra decti cavalcanti e giraldi scudi nonantuno e dua terzi p. e dua mesi passati cioe dicebre e gennaio

E più o ricevuto a dì tredici daprile 1540 pel sopra decto conto dalli sopra decti cavalcati e giraldi scudi nonantuno e dua terzi doro in oro pli dua mesi passati cioe febbraio e marzo

E più o ricevuto oggi a dì dodici di gugnio da sopra decti cavalcati e giraldi p. il sopra decto conto scudi nonantuno e dua terzi doro in oro pli dua mesi passati cioe aprile e maggio

E a dì 13 dagosto o ricevuto da sopra decti cavalcanti e giraldi scudi nonantuno e dua terzi p. il sopra decto conto cioe de dua mesi passati gugnio e luglio

E a dì 9 dobre o ricevuto da sopradecti cavalcanti e giraldi pel sopra decto conto scudi nonantuno e dua terzi pli dua mesi passati cioe agosto e settebre

E più o auto da sopra decti cavalcanti e giraldi scudi nonantuno e dua terzi p. octobre e novenbre prossimi passati

E più o auto da sopra decti scudi nonantuno e dua terzi p. dicebre e gennaio

E più o ricevuto da sopradecti cavalcanti e giraldi scudi nonantuno e dua terzi pli dua mesi passati cio febraio e marzo

E più o ricevuto da sopra decti cavalcati e giraldi pel sopra decto coto scudi nonantuno e dua terzi pli dua mesi passati cio e aprile e maggio

E più o ricevuto da sopra decti oggi questo dì venti dagosto scudi nonantuno e dua terzi pli dua mesi passati cioe gugnio e luglio

E oggi a dì 15 di novenbre o ricevuto da sopra decti cavalcati e giraldi pel sopra decto coto scudi nonantuno e dua terzi pli dua mesi passati cio e agosto e settenbre

E oggi a dì 17 di dicenbre o ricevuto pel sopra decto coto da cavalcanti e giraldi scudi nonantuno e dua terzi p. e dua mesi passati cioe octobre e novebre

E oggi a dì dicannove di gennaio 1542 o mandato a bartolomeo bettini cioe a cavalcanti e giraldi scudi cinquanta doro in oro che li faccia pagare in firenze a lionardo mio nipote in firenze e decti scudi porto urbino a decto bartolomeo e coto gnene cioe francesco da urbino che sta meco

E oggi a dì 14 di febraio o ricevuto da cavalcati e giraldi scudi nonantuno e dua terzi pel sopra decto de dua mesi prossimi passati cio dicebre e gennaio

*Blatt aus einem Hausbuch Michelangelos mit Eintragungen über die Einnahmen aus der Po-Fähre bei Piacenza, vom 20. 4. 1539 bis zum 14. 2. 1541. Diese Pfründe warf jährlich etwa 600 Golddukaten (60 000 DM) ab und war dem Meister zugleich mit der Ernennung zum Obersten Baumeister, Bildhauer und Maler des Vatikans am 1. September 1535 von Papst Paul III., zusammen mit einer gleich hohen Dotation aus der Camera Apostolica, als Lebensrente ausgesetzt worden gerissene Halunken und wissen schon, was sie wollen; das ist es. Ich bitte Euch, erlöst mich von ihm, denn er hat mich derart verdrossen, daß ich es nicht mehr aushalte. Der Maultiertreiber hat so viel Geld bekommen, daß er ihn gut und gern nach Florenz zurückbringen kann; er ist ein Freund seines Vaters. Sagt dem Vater, er möge ihn zurückrufen. Ich würde ihm keinen Pfennig mehr geben, denn ich habe kein Geld. Ich werde so lange Geduld haben, bis er nach ihm schickt. Ruft er ihn nicht ab, so werde ich ihn wegschicken. Obwohl ich ihn schon am zweiten Tag fortgejagt habe und später noch öfter, nimmt er es nicht ernst.*

Nachdem sein Zorn bei der Niederschrift des Briefes verraucht war, setzte er ein Postskriptum darunter, um den Vater zu diplomatischem Vorgehen zu veranlassen: ... *Wenn Ihr mit dem Vater des Jungen sprechen werdet, so sagt ihm, was zu sagen ist, in netter Form, etwa daß er ein guter Junge, aber zu zart sei, und daß er nicht zu meiner Bedienung tauge, und er möge ihn doch zurückrufen.*[52]

Michelangelo war zu dieser Zeit bereits ein vermögender Mann. Er war ein kühler und pedantisch genauer Rechner, der sein Geld in Grundstücken, Häusern und Landgütern anlegte oder es auf der Bank oder auch als Darlehen Zinsen bringen ließ. Er selbst lebte ohne große persönliche Ansprüche, sparsam und geizig gegen sich. Wenn einer der Brüder seinen Besuch oder den eines Florentiner Bekannten oder Freundes anmeldete, so lehnte er das zuweilen wegen Arbeitsüberlastung ab, indem er anmerkte, daß er sich um Gäste nicht kümmern könne; stimmte er aber zu, so wies er stets darauf hin, daß es bei ihm sehr einfach zugehe und daß seine bescheidene Haushaltung nichts für Gäste sei. Er schrieb dann: *Ich führe allerdings ein ganz einfaches Haus, und so will ich es auch weiter halten.*

Nichts konnte ihn mehr erbosen, als wenn ein Auftraggeber mit den Zahlungen auf sich warten ließ oder wenn irgend jemand mehr als den gerechten Lohn von ihm verlangte. Bekam er eine Zahlung, so schickte er sofort einen großen Betrag an seine Bank, von 500 Dukaten einmal 228, das andere Mal 473,5. Er behielt nur das Notwendigste zurück. So war es kein Wunder, daß er immer wieder klagen konnte, er habe kein Geld und sei völlig mittellos; denn sein Konto griff er nicht an. Was auf der Bank lag, existierte für ihn nicht mehr, höchstens zur zinsbringenden Anlage oder zum Erwerb von Grundbesitz, zur Vermögensvermehrung also. Über seine Einnahmen und Ausgaben führte er genau Buch. Viele Blätter seiner Hausbücher sind erhalten, so daß man noch heute ungefähr rekonstruieren kann, welche Gewinne er in den einzelnen Jahren erzielte.

Während er in finanziellen Angelegenheiten gegen sich und seine Geschäftspartner von kleinlichster Pedanterie war, konnte er gegenüber seiner Familie recht großzügig sein. Beim Vater und den Brüdern sparte er nicht mit Zuwendungen. Er versuchte auch immer wieder mit unendlicher Geduld, sie zu sparsamer Geldwirtschaft anzuhalten, und gab ihnen Ratschläge für geschäftliche Transaktionen, die aber meistens wenig nützten, weil sie entweder zu gutgläubig und vertrauensselig waren oder eine schwierige Sache zu leicht und oberflächlich behandelten.

Da er seinen Brüdern Buonarroto und Giovansimone seit langem für die Gründung eines eigenen Geschäftes Geld versprochen hatte, mahnte Buonarroto ihn von Zeit zu Zeit. Lange Jahre sind die Antworten Michelangelos hinhaltend. Er hatte die feste Absicht, er führte sie auch später aus; aber ein solches Familienunternehmen sollte auch finanziell aus eigenen Mitteln und nicht mit Hilfe anderer aufgebaut werden. Nach seinen wirtschaftlichen Prinzipien hatte er jedoch das Gründungskapital erst dann frei, wenn ein gutes Grundvermögen in unbeweglichem Gut angelegt war, und wenn er den Zuschuß für das Geschäft erübrigen konnte, ohne daß er sein Bankkonto anzubrechen brauchte.

Auch im Januar 1512 bat er seinen Bruder, sich zu gedulden:

*Buonarroto ...*

*im Falle des Geschäftes habe ich die Absicht, alles zu tun, was ich Euch versprochen habe, sobald ich nach dort zurückgekehrt bin. Obwohl ich geschrieben habe, man solle jetzt eine Besitzung kaufen, so will ich doch außerdem noch das Geschäft einrichten. Denn wenn ich hier nach Abschluß meiner Arbeit die Außenstände eingezogen habe, so wird das genügen, um mein Versprechen einzulösen. Was nun den Mann betrifft, der Dir zwei- oder dreitausend große Dukaten für die Einrichtung des Geschäftes zur Verfügung stellen will, so ist das wohl eine bessere Börse als meine. Mir scheint, Du solltest es auf jeden Fall annehmen. Doch gib acht, daß Du nicht betrogen wirst. Denn man findet niemanden, der andere mehr liebt als sich selbst. Du sagst mir, der Betreffende wolle Dir eine seiner Töchter zur Frau geben. Ich sage Dir, außer der Frau wird von ihm kein Angebot, das er Dir gemacht hat, gehalten werden, sobald er sie Dir erst einmal aufgehalst hat. Und Du wirst sie bald genug satt bekommen. Ich sage Dir weiter, es gefällt mir nicht, daß Du Dich aus Habsucht mit Leuten einläßt, die weit unter Dir stehen. Habsucht ist eine große Sünde, und kein Ding, an dem Sünde haftet, kann ein gutes Ende nehmen. Ich halte es für das beste, Du gibst ein paar freundliche Worte und ziehst die Angelegenheit in die Länge, bis ich hier fertig bin, damit ich sehe, wie ich dastehe. Und zwar wird das in drei Monaten sein, so ungefähr wenigstens. Handle nun, wie es Dir behagt. Ich habe nicht früher antworten können.*

*Michelagniolo, Bildhauer in Rom.*[53]

Neben der Sorgfalt in Familienangelegenheiten bezeugt der Brief die überlegte und überlegene Art, durch die Michelangelo seinen Bruder zu der Einsicht führen möchte, daß es besser wäre, ein Angebot abzulehnen, das unklar und daher verdächtig ist, weil es Geschäftliches und Privates miteinander verquickt, weil es nicht deutlich erkennen läßt, ob ein Darlehen oder über eine Mitgift eine Beteiligung gegeben werden soll. Michelangelo stimmt zuerst zu, um anschließend gewichtige Gründe vorzubringen, die notwendig dazu führen, die suspekte Offerte auszuschlagen. Man könnte geradezu von einer sokratischen Methode sprechen, wäre der Gegenstand, ein Privatbrief, der nur Alltagsfragen berührte, nicht zu gering. Jedoch bezeugt dieses Verfahren die «florentinische Gewitztheit Michelangelos».

Aus den drei Monaten, die Michelangelo als Wartezeit angibt, wurden neun.

## Sacco di Prato

Ludwig XII. hatte sich mit seinem Heer aus Italien zurückziehen müssen und damit den Einfluß auf Florenz verloren. Der Papst forderte die Übergabe der Regierungsgewalt an die Medici. Die Prioren verweigerten das. Darauf wandte sich die spanische Armee, die mit Julius im Bunde stand, gegen Florenz und eroberte Prato. Die 20 Kilometer nordwestlich von Florenz gelegene Stadt wurde «zerstampft». Die Grausamkeiten der Soldateska waren ohne Beispiel. Die Historiker sprechen vom «Sacco di Prato», von einer Plünderung. Diese Bezeichnung umreißt nicht annähernd, was dem Ort unter den Augen des späteren Papstes Leo X. geschah. Florenz wurde durch die an Frauen und Kindern begangenen unmenschlichen Gewalttaten derart demoralisiert, daß es den Medici die Tore öffnete.

Michelangelo war in großer Sorge. Er befürchtete nach Pratos Fall ein gleiches Schicksal für seine Heimatstadt. Erstaunlich ist die Ruhe, mit der er seinem Bruder Verhaltungsmaßregeln gibt. Aber er hatte Eile. Denn er schrieb seine Antwort nicht an seinem Posttag, dem Sonntag, sondern am Montag, dem 5. September 1512:

*Buonarroto,*

*ich habe Dir mehrere Tage nicht geschrieben, weil sich nichts ereignet hat. Da ich nun aber hier vernehme, wie die Dinge in und um Florenz stehen, so halte ich es für richtig, Euch meine Ansicht mitzuteilen. Und die wäre: Wenn das Land sich in einer schlechten Verfassung befindet, wie man hier in Rom erzählt, so solltet Ihr alle versuchen, Euch an irgendeinen Ort zurückzuziehen, wo Ihr sicher seid, und Eure Habseligkeiten und alles andere im Stich lassen. Denn das Leben ist weit mehr wert als das Vermögen. Wenn Ihr kein Geld habt, Florenz zu verlassen, so sucht den Spitalvorsteher auf und laßt Euch etwas auszahlen. Ich an Eurer Stelle würde das ganze Geld, welches auf meinem Konto liegt, abheben, nach Siena gehen, ein Haus mieten und dort so lange bleiben, bis daheim wieder Ordnung herrscht.*

*Ich glaube, daß die Vollmacht, die ich dem Vater gab, noch nicht abgelaufen ist, so daß er über meine Gelder verfügen kann. Nehmt*

Giuliano de' Medici, Herzog von Nemours. Gemälde von Angelo Bronzino (?)

*es also, wenn Ihr es braucht, und verfügt in solchen Fällen der Fährnis über das, was nötig ist. Den Rest mögt Ihr aufheben. Was das Land angeht, so mischt Euch in nichts ein, weder durch Taten noch durch Worte. Handelt so, wie man bei der Pest handeln muß. Flieht als erste. Das ist alles.*

*Laß mir irgendeine Nachricht zukommen, sobald Du kannst, denn ich lebe in großer Aufregung.*[54]

Prato fiel am 29. August 1512. Spätestens an diesem Tage schrieb Buonarroto an Michelangelo, dessen Antwort erst in Florenz eintraf, als die Medici bereits dort waren. Der Gonfaloniere Soderini war von revoltierenden Bürgern abgesetzt worden und nach Castelnuovo in Dalmatien, das unter türkischer Herrschaft stand, gefahren. Die Beziehungen zwischen der italienischen Handelsmetropole und dem Osmanischen Reich waren gut; Soderini war dort vor aller Verfolgung sicher. Die Spanier tobten einundzwanzig Tage in Prato. Nach dem Einzug der Medici in Florenz am 1. September erhielt Michelangelo keine Nachricht mehr. Wahrscheinlich bestand keine Möglichkeit für eine sichere Beförderung von Briefen. Michelangelo schrieb daher vierzehn Tage später:

*Buonarroto, ich erfuhr durch Deinen letzten Brief, daß das Land in schwerer Gefahr war. Das hatte mich in große Aufregung versetzt. Nun hat man mir berichtet, daß das Haus Medici in Florenz eingezogen und damit alles in Ordnung sei. Aus diesem Grunde glaube ich, daß die Gefahr, durch die Spanier nämlich, vorüber, und daß es nicht mehr nötig ist, abzureisen. Darum lebt in Frieden und macht Euch keinen zum Freund oder Vertrauten außer Gott. Sprecht über niemand, weder im Guten noch im Bösen, denn man weiß nicht, wie die Dinge enden. Seht allein auf Eure eigenen Angelegenheiten.*

*Was nun die vierzig Dukaten angeht, die Lodovico von Santa Maria Nuova abgehoben hat, so schrieb ich Euch ja neulich in einem Brief, Ihr könntet in Fällen von Lebensgefahr nicht nur vierzig, sondern alles abheben. Aber davon abgesehen, habe ich Euch nicht erlaubt, das Geld anzugreifen. Ich teile Euch mit, daß ich nicht einen Groschen habe und sozusagen barfuß und nackt bin und meinen restlichen Lohn erst bekomme, wenn ich das Werk vollendet habe.*

*Ich ertrage die größten Entbehrungen und Mühseligkeiten. Wenn auch Ihr daher einige Entbehrungen durchstehen müßt, so laßt Euch nicht davon berühren, und solange Ihr Euch mit Eurem eigenen Geld helfen könnt, nehmt mir meines nicht, es sei denn, wie gesagt, in Fällen der Gefahr. Solltet Ihr aber doch in irgendeine große Verlegenheit geraten, so muß ich Euch bitten, mir vorher zu schreiben. Ich werde bald dort sein. Allerheiligen werde ich ganz bestimmt dort begehen, wenn es Gott gefällt.*[55]

Die Gefahr durch die Spanier war vorbei; die anderen Schwierigkeiten, die jeder Regierungswechsel mit sich bringen konnte, waren vermeidbar, solange man Zurückhaltung übte und den Mund hielt. Die Staatsform der Republik blieb erhalten. Abermals, wie in den Tagen Lorenzos des Prächtigen und des älteren Cosimo, regierten die Medici unter geschickter Einflußnahme auf die Besetzung der wichtigen Ämter, indem sie sich die Gunst des Volkes durch kluge Zurückhaltung und maßvolles Auftreten erhielten. Die politische Führung legten sie in die Hände Giulianos, der eingedenk der Worte seines Vaters zu siegen verstand, weil er zu verzeihen wußte. Es gab keine politischen Prozesse, keine Todesurteile, keine Verbannungsedikte und keine Konfiskationen größeren Umfangs. Natürlich wurden Ämter umbesetzt und Pfründen neu verteilt. Auch Bußen geringeren Ausmaßes wurden hier und da einzelnen Bürgern auferlegt. Davon blieb auch die Familie Buonarroti nicht verschont. Vater Lodovico erhielt einen harten Steuerbescheid, der einer Strafe gleichkam. Michelangelo regelte die Sache durch einen Brief an Giuliano, den er ja von Jugend auf kannte. Deshalb beruhigte er den Vater:

*Liebster Vater.*

*Durch Euren letzten Brief habe ich erfahren, wie die Dinge dort stehen, obwohl ich schon einiges darüber wußte. Man muß Geduld üben und sich in Gottes Hand geben und seine Fehler erkennen. Denn diese Prüfungen haben ihren Grund in nichts anderem als eben in Hochmut und Undankbarkeit; denn niemals habe ich mit undankbareren und hochmütigeren Leuten verkehrt, als es die Florentiner sind. Wenn daher das Gericht kommt, so mit gutem Grund. Das mit den sechzig Dukaten, die Ihr, wie Ihr sagt, zu zahlen habt, scheint mir ein unehrlicher Handel zu sein, und ich habe mich deshalb sehr erregt. Doch man muß so viel Geduld haben, wie es Gott gefällt. Ich werde Giuliano de' Medici ein paar Zeilen schreiben, die diesem Brief beiliegen. Lest sie und, wenn Ihr sie ihm bringen wollt, so bringt sie ihm. Ihr werdet ja sehen, ob sie etwas nützen. Sollten sie nichts nützen, so überlegt, ob man unser Besitztum verkaufen kann. Dann können wir woanders hinziehen. Wenn Ihr aber merken solltet, daß es Euch schlimmer ergeht als anderen, so weigert Euch, zu zahlen und laßt Euch lieber alles wegnehmen, was Ihr besitzt, und benachrichtigt mich. Doch wenn sie es mit anderen uns Gleichgesinnten treiben wie mit Euch, so habt Geduld und vertraut auf Gott. Ihr sagt mir, Ihr hättet Euch mit dreißig Dukaten versehen.*

*Nehmt weitere dreißig von meinem Guthaben und schickt mir das übrige hierher ... Ihr müßt Euch eben durchschlagen. Und wenn Ihr auch keine weltlichen Ehren erwerben könnt wie andere Bürger, so begnügt Euch mit dem täglichen Brot und lebt in Christo und arm, so wie ich es hier auch tue. Denn ich lebe armselig und kümmere mich weder um Leben noch Ehre, das heißt um die Welt, und ich lebe in größter Mühsal und tausendfältigem Argwohn. Fünfzehn Jahre sind es ungefähr her, daß ich keine gute Stunde mehr hatte und nur alles getan habe, um Euch zu helfen, ohne daß Ihr es je anerkannt, noch geglaubt habt. Gott möge uns allen vergeben. Ich bin bereit, weiter, solange ich lebe, ein Gleiches zu tun, wenn ich es nur vermag.*[56]

Die politische Einstellung der Buonarroti, vor allem Michelangelos, war den Medici bekannt. Michelangelo rechnete daher mit einer Konfiskation und beorderte sein Geld nach Rom. Seine Warnung, in Wort und Tat vorsichtig zu sein, wurde vom Vater erwidert, wie aus einem Brief an Lodovico hervorgeht:

*Liebster Vater.*
*In Eurem letzten Brief schreibt Ihr, ich solle mich hüten, Geld im Hause zu haben oder bei mir zu tragen; auch habe man dort erzählt, ich hätte den Medici Übles nachgesagt. Was das Geld betrifft, so habe ich, was ich besitze, auf der Bank von Balducci und führe nur das zu Hause oder in der Tasche, was ich gerade so Tag für Tag benötige. Was den Fall Medici angeht, so habe ich niemals etwas anderes gegen sie geäußert, als was allgemein von jedermann gesagt wird, wie etwa über das Verbrechen von Prato; darüber aber würden die Steine geredet haben, wenn sie reden könnten. Noch vieles mehr hat man hier erzählt. Hörte ich davon, so habe ich stets gesagt: «Wenn sie wirklich so handeln, so tun sie unrecht.» Nicht, daß ich es darum geglaubt hätte. Gott gebe, daß es nicht wahr ist. Überdies hat mir einer, der sich mir als Freund gibt, seit einem Monat viel Abfälliges über ihre Taten gesagt. Ich habe ihn deshalb getadelt und ihm gesagt, es sei unrecht, so zu reden, und er solle zu mir nicht mehr darüber sprechen. Ich möchte darum, daß Buonarroto vorsichtig zu erfahren sucht, von wem der Betreffende gehört hat, daß ich den Medici Übles nachgesagt hätte. Vielleicht kann ich dann feststellen, ob es von einem jener Leute kommt, die sich als meine Freunde geben, und kann mich dann vor ihnen in acht nehmen ...*[57]

Die Befürchtungen Michelangelos trafen nicht ein. Sein Brief an Giuliano hatte Erfolg. Der Vater bekam ein Amt wieder, das er vor der Vertreibung Pieros de' Medici im Jahre 1494 bekleidet hatte, und es ist anzunehmen, daß auch die Steuereinschätzung herabgesetzt wurde.

Giovanni, der spätere Papst Leo X., und Giulio de' Medici verließen Florenz bald und gingen nach Rom. Giulio betrachtete Giulianos halbdemokratisches Regiment als Übergang. Sein Ziel war die Errichtung eines absoluten Fürstentums. Der erste Schritt sollte das Pontifikat seines Vetters Giovanni sein. Dazu schaffte er in Rom die Grundlage. Giovanni wurde 1513 Papst, Giulio als Klemens VII. zehn Jahre später. Und erst als Pontifex, ungefähr wiederum nach einem Dezennium, konnte er den zweiten Schritt tun, indem er seinen natürlichen Sohn, das Kind einer Mulattensklavin, den negroiden Caligula der Renaissance, Alessandro de' Medici, zum Herzog von Florenz machte. «Diese Kreatur», die nach dem Urteil der Zeitgenossen, «in ihren Ausschweifungen maßlos war wie eine wilde Bestie», wurde 1537 von Lorenzino, einem Angehörigen der jüngeren Linie Medici, ermordet. Damit war die Herrschaft des älteren Familienzweiges beendet. Klemens VII. hat diesen Fehlschlag nicht mehr erlebt. Er segnete drei Jahre zuvor das Zeitliche.

Nicht nur Giulianos vornehme Gesinnung, auch Michelangelos Verkehr mit den beiden Medici-Kardinälen in Rom wird dazu beigetragen haben, daß die Familie Buonarroti keine Nachteile durch die veränderte innenpolitische Lage hatte.

Das Rom des Jahres 1512, in dem Michelangelo die Lünetten unter dem Deckengewölbe malte, war ein von Unruhe, Gerüchten und Kriegsgeschrei erfülltes wildes Heerlager. Michelangelo hat diese religiös verwilderte Roma militans in einem Sonett geschildert:

*Hier macht aus Kelchen Helme man und Schwerter,*
*Verkauft das Blut des Herrn mit beiden Händen,*
*Zu Schild und Lanzen werden Kreuz und Dornen,*
*So daß selbst Christus die Geduld verlöre.*

*Doch käm' er besser nicht in diese Stadt,*
*Denn seines Blutes Preis stieg' zu den Sternen:*
*Bis auf die Haut verkauft man ihn in Rom,*
*Versperrt sind alle Wege hier dem Guten.*

*Der Wunsch nach Schätzen – hegte ich ihn je –,*
*Da mir die Arbeit hier abhanden kam,*
*Erstarrt vor dem Medusenblick des Herrschers.*

*Doch wenn im Himmel nur die Armut gilt,*
*Wie wird zuteil uns, folgt man solchem Banner,*
*Erneuter Unschuldsstand im künft'gen Leben?*
*Finis*
*Michelagniolo in der Türkei.*[58]

Das verlorene Werk, von dem Michelangelo in diesen Versen spricht, ist das *Julius-Grabmal*. Die Gewölbemalereien der Sistina waren vollendet, das Hauptwerk war getan. Da mochten die Gedanken an den Marmorberg wieder mächtiger geworden sein, während er die in den Stichkappen begonnene Darstellung der Ahnen

Christi auf den Bogenfeldern der Lünetten fortsetzte. Der Bezug auf die Türkei lag nahe und war für ihn doppelt bedeutungsvoll. Das Osmanische Reich hatte sich in den vergangenen Jahrzehnten weit nach Westen ausgedehnt und die östlichen Ufer der Adria erreicht. Es war ein ständiges Kriegslager und bot sich daher als eine allgemein verständliche Metapher für die vatikanischen Zustände an. Etwas anderes kam hinzu. Durch die zwingender gewordenen Erinnerungen an die alten Schattenbilder der Juliusskulpturen wachten auch jene Tage der Flucht von Rom nach Florenz wieder auf. Damals war er bereit gewesen, dem Ruf des Sultans Bajasid II. nach Konstantinopel zu folgen, um eine Brücke über das Goldene Horn zu schlagen. Es ist Soderinis Überredungskunst zu verdanken, daß Michelangelo Italien nicht verließ. Nun sah er sich in der Türkei, am Ende, ohne Hoffnung, in solchen Zeitläuften den Meißel ans Grabmal setzen zu können.

## Der geometrische Ort der Cumäa

Die Gestaltung der cumäischen Sibylle wie auch ihre Einordnung in die Gesamtkomposition des Gewölbes weist darauf hin, daß Michelangelo bereits 1510, als er die Vielhundertjährige neben die Erschaffung Evas setzte, von Grabmalsgedanken bedrängt und durch Zweifel an der malerischen Arbeit gehemmt wurde, aus denen er sich nicht nur durch kyklopischen Schaffenszorn, sondern auch durch bitterste Selbstironie zu befreien suchte.

Die Cumäa ist so uralt, wie Ovid sie in seinen Metamorphosen schildert. Sie hat siebenhundert tätige Jahre hinter sich gebracht und wird noch «dreihundert Ernten und Herbste sehen». Ihre Erscheinung ähnelt der Vorstellung, die man sich von der greulichen Gigantenvettel in Michelangelos Canzone über die Riesen bildet. Sie ist wie die

*... große Alte, schwer und träg ...*
*gezwängt in enger Höhle hockt sie schräg ...*
*Sie hat ein Herz von Stein, Arme aus Eisen,*
*und Berg und Meer kann ihr im Bauche kreisen.*[59]

Es sind nicht die gleichen Bilder, aber sie haben gleiche Wirkungen, sie stoßen ab. Auch die bücherverbrennende Cumäa verbreitet Ekel und Entsetzen, wie das Riesenweib, das Ungeheuer an seinen Brüsten säugt. Vergil nennt die Sibylle horrenda (abscheulich) und versetzt sie in eine ungeheure Höhle. «Sie ist verstummt. Kaltes Grauen durchfährt die hartsinnigen Troer», erzählt der Dichter der «Aneis»[60]. Kaltes Grauen verbreiten auch die Verse Michelangelos. Seine Riesin verkörpert den Zweifel, und auch die cumäische Sibylle ist die Inkarnation jenes Zweifels, der wie ein Heuschreckenschwarm das reich bestellte Feld aller Wissenschaften frißt. Riesin und Sibylle

*Kopf der cumäischen Sibylle. Fresko. Rom, Cappella Sistina*

sind Gedankenbilder Michelangelos. Indem er ihnen in Vers und Farbe Gestalt gab, befreite er sich.

Die Bestimmung des geometrischen Ortes der Cumäa innerhalb der gesamten Komposition läßt erkennen, daß Michelangelo Grabmalsideen unterbrachte. Die Cumäa und Hesekiel sitzen einander gegenüber. Zwischen ihnen liegt das Deckenfeld, auf dem Michelangelo die Erschaffung Evas darstellt. Zum erstenmal in der Chronologie des Arbeitsablaufes muß er sich mit dem Bild Gottes auseinandersetzen. Zur Rechten (vom Beschauer aus) der Sibylle sinnt Jesajas, zur Linken studiert Daniel. Der kritisch wissende Prophet und der eifrige Schüler sitzen an den Basisecken eines Dreiecks, an dessen Spitze Hesekiel Gott schaut. Die Cumäa ist von der seherischen Höhe in den alten Stand des Zweifels mitten zwischen die beiden jüngeren Propheten zurückgesunken. Sie hat alles erfahren, was die drei Seher erfahren. Sie hat gezweifelt und gelernt, hat erkannt und wieder gezweifelt und sie hat gesehen ohne Zweifel. Nun wird sie von einer Skepsis bedrängt, die alles zu zerfressen droht. Ihr Geist bewegt sich in der ungeheuerlichen Höhle des Argwohns, in der auch Michelangelo, gegen sich und das *Julius-Grabmal* schaffend, wütete. Die vier Gestalten entsprechen im Umriß der Überlieferung, die der Künstler aus dem antiken Schrifttum und der Bibel kannte.

Daniel gehörte zu jenen Knaben, die der König Nebukadnezar von Babel aus den Kindern Israels auswählen ließ, damit sie zu Chaldäern, das heißt: zu Sternsehern und Weisen erzogen würden, «Knaben, die nicht gebrechlich wären, sondern schöne, vernünftige, weise, kluge und verständige, die da geschickt wären, zu dienen an des Königs Hofe und zu lernen chaldäische Schrift und Sprache». Über Daniel scheidet Gott Erde und Wasser.

Jesaja, der in der Höhe des Feldes thront, auf dem Michelangelo Noahs Brandopfer schildert, läßt Gott sprechen: «Was soll mir die Menge eurer Opfer? ... Ich bin satt der Brandopfer.» Hesekiel spricht: «Da ich war unter den Gefangenen am Wasser Chebar, tat sich der Himmel auf, und Gott zeigte mir Gesichte.» Der Prophet bewegt die sich öffnende Rechte voraus, als könnte er göttliches Wissen gegenständlich empfangen. Die Höhe des gleichseitigen Dreiecks, in dessen Basismitte die verstummte Cumäa grübelt, von dessen Spitze Hesekiel schaut, halbiert das Gewölbe.

Bei der Darstellung der zwölf Seher und Seherinnen fühlte sich Michelangelo der Tradition grundsätzlich verpflichtet, bei ihrer Auswahl und Anordnung aber völlig frei. So wird es von Bedeutung sein, daß er eben die Cumäa zwischen Daniel und Jesaja, gegenüber Hesekiel, und alle vier in die Mitte des Kapellenraumes setzte. Eine der wenigen Ordnungen, die er seiner Kunst abforderte, erschließt sich aus dem Satz: *Die Mitte ist stets nach Belieben frei: Alles andere ist von der Mitte abhängig.*[61]

Michelangelo hat sich nie unmittelbar über seine Werke geäußert, weder über die Gedanken, die ihn bei der Ausführung bewegten, noch über die Ideen, die er in Form oder Farbe darstellen wollte.

Mittelbar nur spricht er darüber in den Bildern seiner Verse und in seinen Bildwerken selbst.

Die Mitte der Decke zeigt die Schöpfungsgeschichte des Menschen, von den Erschaffungen Adams und Evas über den Sündenfall bis zur Vertreibung aus dem Paradies. Die Mitte ist das Spannungsfeld zwischen Zweifel und Glaube, in dem der Mensch, in dem auch Michelangelo steht.

Man kann einesteils aus der Art der Darstellung der Fresken ihren Ideengehalt einleuchtend interpretieren oder aber das Buch der Bücher, die Werke Dantes, Petrarcas, Platons und Plotins, die Reden Savonarolas und andere Schriften zu Hilfe nehmen. Ob es aber die Gedanken Michelangelos sind, bleibt zweifelhaft. Sein Werk will weniger bedacht, es will angeschaut sein. Trägt man zuviel Wissenschaft heran, so werden Auslegungen erzwungen und einfache Zusammenhänge verwirrt. Die Delphica entspricht keinesfalls der Überlieferung. Trotzdem bezieht die Kunstliteratur sich bei ihrer erläuternden Beschreibung auf die bereits zitierte und einwandfrei der Cumäa zugehörige Vergil-Stelle. Michelangelos delphische Sibylle ist aber weder horrenda, noch verbreitet sie kaltes Grauen.

*Erschaffung der Eva. Fresko. Rom, Cappella Sistina*

*Kopf des Adam. Fresko. Rom, Cappella Sistina*

Doch manche Kunsthistoriker sprechen ihr beides zu und damit viel philologische und literarhistorische Gelehrsamkeit in ein Bildnis hinein, das sich jedem unbefangenen Blick als das Porträt eines schönen jungen Mädchens anbietet. Sie sieht nicht, wie Thode meint, «Heil und Kreuzestod zugleich». Sie erinnert eher an die schöne junge Bologneserin, die Michelangelo in einem seiner ersten Liebesgedichte besingt. Man kann A. E. Brinckmann beistimmen, der schreibt: «Nimmt man nur den Kopf, so wirkt er wie rasches Vorübereilen keuscher Mädchenschönheit, scheu und erstaunt zugleich. Die große Klarheit dieses genau von vorn gesehenen Gesichts befestigt, führt nicht in seherische Fernen.»[62]

Goethe sagte, nachdem er die Fresken zum zweitenmal gesehen hatte: «Ich bin in dem Augenblick so für Michelangelo eingenommen, daß mir nicht einmal die Natur auf ihn schmeckt, da ich sie doch nicht mit so großen Augen, wie er, sehen kann.»

*Der Prophet Jesaja. Fresko. Rom, Cappella Sistina*

Am 3. Oktober 1512 schrieb Michelangelo seinem Vater:

*Liebster Vater,*
*ich habe durch Euren letzten Brief erfahren, daß Ihr dem Spitalvorsteher die vierzig Dukaten zurückgebracht habt. Ihr tatet gut daran. Solltet Ihr merken, daß dieselben in Gefahr sind, so unterrichtet mich bitte davon. Ich habe die Ausmalung der Kapelle beendet. Der Papst ist außerordentlich zufrieden. Meine anderen Angelegenheiten gelingen nicht nach Plan und Wunsch. Ich gebe den Zeitumständen die Schuld, die sich sehr nachteilig für unsere Kunst auswirken. Diese Allerheiligen werde ich nicht nach dort kommen, weil es mir am Notwendigen zur Durchführung meiner Pläne fehlt, auch ist die Zeit noch nicht danach. Schaut zu, daß Ihr so gut wie möglich lebt, und mischt Euch nicht in fremde Angelegenheiten. Das ist alles.*
*Euer Michelagniolo, Bildhauer in Rom.*[63]

*Kopf der delphischen Sibylle. Fresko. Rom, Cappella Sistina*

Ein Routinebrief, möchte man sagen, am üblichen Posttag, dem Sonntag, geschrieben, ohne Eile verfaßt. Es werden darin nur kurz und bündig notwendige Mitteilungen gemacht: eine väterliche Bankeinzahlung wird bestätigt; er könne zu Allerheiligen nicht kommen, da künftige Geschäfte vorher zu regeln seien; die Mahnung, man möge sich nicht in andere Angelegenheiten einmischen. Und dazwischen in demselben beiläufigen, lakonischen Ton: die Ausmalung sei beendet und der Papst außerordentlich zufrieden. Keine Freude, geschweige denn Jubel darüber, daß dieses «herkulische Œuvre» getan sei. Der Marmor des Grabmals liegt bereits wieder fordernd vor ihm. Aber auch das vermerkt er kalt, sachlich, nüchtern. Und am Ende, wie meistens in den Sixtina-Jahren, die Unterschrift: *scultore in Roma – Bildhauer in Rom.*

Die Gemälde wurden enthüllt, die Gerüste abgebrochen, und am Abend vor Allerheiligen, am 31. Oktober 1512, wurde die Kapelle dem Besuch geöffnet.

Michelangelo stand auf dem Gipfel seines Ruhms. Er hatte ihn wider Willen durch ein Nebenwerk erreicht.

## Das zweite Projekt

Von den Gedanken an das *Julius-Grabmal* konnte Michelangelo sich in den langen Jahren, die seit seiner Flucht aus Rom verstrichen waren, nie ganz befreien. Er hatte den Papst immer wieder bei günstiger Gelegenheit darauf angesprochen, doch er wurde stets vertröstet. Die Zeiten waren zu kriegerisch. Den Abbruch carrarischen Marmors und den Transport der Blöcke hatte er nie eingestellt. Manche Gelder, die er für andere Arbeiten erhielt, steckte er in den Marmor. Daraus entstanden später unliebsame Verrechnungsschwierigkeiten.

Für den Künstler war Skulptur das Höchste und das Grabmonument die Aufgabe, die vor allen anderen den Vorrang hatte. Als der letzte Gerüstbalken in der Sixtina niedergelegt worden war, muß Michelangelo sich befreit gefühlt haben von dem Druck bergeschwerer Qualen. Gleich nach der Vollendung der Deckenfresken machte er dem säumigen Marmorlieferanten Baldassare di Cagione in Carrara ernste Vorhaltungen:

*Baldassare,*

*ich wundere mich sehr über Euch, da Ihr mir schon vor langer Zeit geschrieben habt, Ihr hättet viele Marmorblöcke fertig; da Ihr weiter viele Monate herrliches und der Verschiffung günstiges Wetter hattet und zudem von mir hundert Golddukaten bekommen habt; da es Euch also an nichts fehlt, so weiß ich wirklich nicht, woher es kommt, daß Ihr mich nicht beliefert. Ich bitte Euch, die Marmorblökke, die Ihr fertig zu haben behauptet, sofort zu verladen und zu kommen, je schneller, desto besser. Ich will noch bis zum Ende dieses Monats auf Euch warten. Dann aber werden wir mit Mitteln vorgehen, die uns einer empfohlen hat, der sich mit größter Sorgfalt um dies Unternehmen von mir kümmert. Nur gebe ich Euch zu bedenken, daß Ihr übel daran tut, das Vertrauen eines Mannes, der Euch verdienen läßt, zu täuschen und ihn zu quälen.*[64]

Die Unterschrift zu diesem Brief lautet einfach *Michelagniolo in Rom.*

Julius II. starb am 21. Februar 1513. Die Vollstrecker seines letzten Willens waren der Kardinal Aginense und der Protonotar Lorenzo Pucci, der spätere Kardinal Santiquattro. Aginense stammte aus dem Geschlecht der Rovere und war ein Nepote Julius' II., der in seinem Testament 10 000 Golddukaten für sein Grabmal bestimmt hatte, mit der Auflage, daß Michelangelo es nach seinem Plan ausführen sollte.

Drei Wochen später wurde Giovanni de' Medici zum Papst gewählt. Die Welt des Geistes und der Kunst prophezeite, daß mit Leos X. Pontifikat gewiß «das Zeitalter Minervas» anbräche. Auch für Michelangelo erwartete man große Aufträge. Die beiden Männer waren lange Jahre gemeinsame Hausgenossen Lorenzos des Prächtigen gewesen. Sie waren fast gleichaltrig und Jugendfreunde.

*Papst Leo X. Kreidezeichnung, vielleicht von Sebastiano del Piombe. Chatsworth, Slg. Duke of Devonshire*

Leo X. brachte Hoffnung und zugleich Befürchtung für den Künstler und die von Julius eingesetzten Treuhänder. Der neue Papst konnte ihnen mit einem anderen Plan zuvorkommen. Darum bemühten sich Kardinal und Protonotar um einen schnellen Vertragsabschluß über das *Julius-Grabmal.*

Trotzdem dauerte es bis zum 6. Mai 1513, bis dieser Vertrag unterschrieben wurde. Das Grabmal war nun nicht mehr als Freibau geplant. Es sollte gegen eine Kirchenwand gebaut werden. Trotzdem war der zweite Entwurf bedeutender. Michelangelo berichtet in einem Resümee des Vertrages darüber:

*Es sei jedem kundgetan, daß ich, der florentinische Bildhauer Michelagniolo, es übernommen habe, das Grabmal des Papstes Julius in Marmor zu gestalten, beauftragt durch den Kardinal Aginensis und den Datarius, welche beide nach seinem Tode als Vollstrecker seines Willens dieses Werk fortsetzen, und zwar für 16 000 Kammerdukaten in Gold und 500 gleichen Wertes. Die Anlage des erwähnten Grabmals soll die folgende Gestalt haben:*

*Ein Quader, von dem man drei Fassaden sieht, und dessen vierte Fassade an der Wand liegt, so daß man sie nicht sehen kann. Die vordere Fassade, das heißt die Stirnseite dieses Quaders, soll 20 Palmi breit und 14 hoch sein, die beiden anderen Flächen, die auf die Mauer zulaufen, gegen die sich der Quader lehnt, sollen 35 Palmi lang und ebenfalls 14 hoch sein. An jede der drei Fassaden kommen zwei Tabernakel, die auf einer Basis stehen, die den Quader rings umgürtet. Sie erhalten ihren Schmuck durch Pilaster, Architrav, Fries und Gesims, wie man es an dem kleinen Holzmodell gesehen hat.*

*In jedes dieser sechs Tabernakel kommen zwei Statuen, die ungefähr einen Palmo mehr als natürliche Größe haben sollen. Das macht insgesamt zwölf Figuren. Vor jeden der Pilaster, welche die Tabernakel einschließen, kommt eine Figur von gleicher Größe. Es sind zwölf Pilaster. Das macht zwölf Figuren. Und auf die Oberfläche des Quaders kommt, wie man am Modell sieht, ein Sarkophag mit vier Füßen, in dem Papst Julius liegen soll, und zwar an der Kopfseite zwischen zwei Figuren, die ihn etwas aufrichten, und zu den Füßen zwischen zwei anderen. Das macht also fünf Figuren auf dem Sarkophag, alle überlebensgroß, ja, fast von doppelter natürlicher Größe. Rings um den Sarkophag werden sechs Würfel gestellt, auf die sechs Figuren kommen, alle sechs in sitzender Haltung. Weiter erhebt sich auf dieser gleichen Fläche, auf der sich die sechs Figuren befinden, über jener Seitenfläche des Grabmals, die der Wand zugekehrt ist, eine kleine Kapelle, die ungefähr 35 Palmi hoch ist; auf ihr stehen fünf Figuren, die alle anderen an Größe übertreffen, weil sie weiter vom Beschauer entfernt sind. Auch kommen drei Reliefdarstellungen aus Marmor oder Bronze, ganz nach dem Geschmack der obenerwähnten Erben, an jede Fassade des Grabmals zwischen den beiden Tabernakeln, wie man am Modell sieht. Und ich verpflichte mich, das Grabmal bei obenerwähntem Gehalt ganz auf meine Kosten fertigzustellen, indem ich es so, wie es nach dem Vertrag erscheinen soll, in sechs Jahren ausführe; sollte aber nach Ablauf der sechs Jahre ein Teil des erwähnten Grabmals nicht beendet sein, so soll mir von den genannten Erben so viel Zeit, wie möglich ist, gegeben werden, um den Rest auszuführen, ohne daß ich eine andere Arbeit machen darf.*[65]

Sollte das Monument nach dem ersten Plan von 1505 seinen Platz als Freibau in der neuen Tribuna der Peterskirche bekommen, so wurde für das Werk nach dem neuen Plan kein fester Aufstellungsort mehr vorgesehen. Der Neubau von San Pietro stand bei Vertragsabschluß einer genauen Platzwahl entgegen. Die Ausmaße des unteren Grabmalsblocks betrugen nach dem zweiten Entwurf, wenn man den Palmo zu 22 cm rechnet, im Grundriß 4,40 × 7,70 m und in der Höhe 3,08 m. Nach einem Vertrag, den Michelangelo mit dem Florentiner Meister Antonio del Pontasieve über die Bearbeitung der Vorderfront schloß, sollte die Höhe 3,74 m und die Breite 6,60 m messen. Für die Gesamthöhe ergaben sich 12,46 m. Der Skulpturenschmuck umfaßte 60 meist überlebensgroße Figuren.

*Der gefesselte Sklave. Ursprünglich für die beiden ersten Projekte des Julius-Grabmals bestimmt. Marmor, 1513. Paris, Louvre*

*Moses. Vom Grabmal Julius' II. Marmor. Rom, San Pietro in Vincoli*

In den nächsten drei Jahren meißelte Michelangelo den *Gefesselten* und den *Sterbenden Sklaven* sowie den *Moses*, jenes gewaltige Steinbild, das den Beschauer geheimnisvoll beherrscht. Ein verwirrendes Fließen von Bewegung und Gegenbewegung durchzieht den carrarischen Stein. Weltabgeschiedene Ruhe und zornige Gefühlsaufwallung vereinen sich in seelischem Kontrapost. Von jedem Blickpunkt aus erscheint der Prophet anders: einmal beschaulich, kontemplativ, dann wieder, von der anderen Seite, tätig, aktiv; beherrscht und herrschend.

## Die Fassade von San Lorenzo

Im Juli 1516 wurde mit einem dritten Vertrag der Plan vereinfacht. Die Veranlassung gab Leo X., der Michelangelo für den Fassadenbau von San Lorenzo in Florenz einsetzen wollte. Der Bildhauer wurde beauftragt, die Fassade der Familienkirche der Medici auszubauen. Die Testamentsvollstrecker Julius' II. und der Künstler wehrten sich mit allen Mitteln gegen diesen Auftrag. Aber Leo X. verzichtete nicht auf seine Forderung, er gestattete Michelangelo nur, in Florenz an den Skulpturen für das Grabmal weiterzuarbeiten.

Politisch waren die Jahre ruhiger. In den Briefen aus dieser Zeit berichtete Michelangelo kaum von seiner künstlerischen Tätigkeit. Wie immer kümmerte er sich als guter Geschäftsmann um Besitz und Vermögen und als guter Sohn um die Familie, die nicht abließ, seine Güte auszunutzen. Der greise Vater überstand eine schwere Krankheit. Mit Buonarroto gab es eine ernste Auseinandersetzung über Geld.

*Buonarroto ...*

*der Steinmetz Michele hat mir mitgeteilt, Du habest ihm gesagt, daß Du in Settignano ungefähr sechzig Dukaten ausgelegt hast. Ich erinnere mich, daß Du auch hier bei Tisch davon sprachst, viele Dukaten von Deinem Geld ausgegeben zu haben. Ich tat so, als hätte ich Dich nicht verstanden; doch ich wunderte mich nicht, denn ich kenne Dich ja. Ich nehme an, daß Du sie angeschrieben hast und darüber Buch führst, um eines Tages alles von mir anfordern zu können. Ich möchte von Deiner Undankbarkeit nur wissen, ob Du auch über jene 280 Dukaten Buch führst, die Ihr von meinem Guthaben in Santa Maria Nuova abgehoben habt, und über die anderen in die Hunderte gehenden Beträge, die ich für das Haus und für Euch aufgewandt habe, sowie über die Drangsale und Entbehrungen, die ich auf mich genommen habe, um Euch zu helfen. Ich möchte wirklich wissen, ob Du über das alles Buch führst. Wenn Du nur so viel Verstand hättest, um die Wahrheit zu erkennen, so würdest Du nicht sagen: «Ich habe soundsoviel von meinem Vermögen ausgegeben.» Du wärest auch nicht hierhergekommen, um mich mit Euren Angelegenheiten zu bedrängen, denn Du weißt, wie ich mich Euch gegen-*

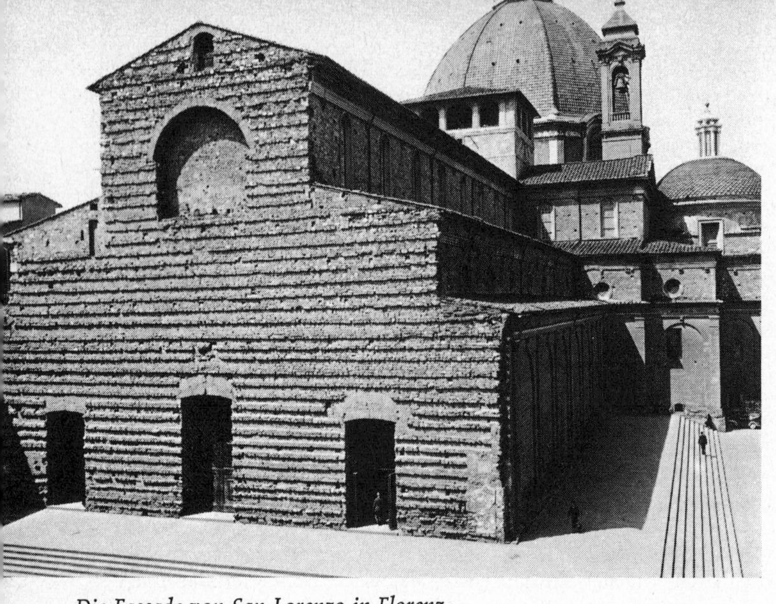

*Die Fassade von San Lorenzo in Florenz*

*über bisher verhalten habe. Du hättest Dir vielmehr gesagt: «Michelangelo weiß, was er uns geschrieben hat, und wenn er jetzt nicht danach handelt, so muß er einen Hinderungsgrund haben, den wir nicht kennen.» Und Du hättest geduldig gewartet. Denn es ist falsch, einem Pferd, das rennt, so gut es kann und sogar über seine Kräfte, auch noch die Sporen zu geben. Doch Ihr habt mich nie gekannt und kennt mich auch heute noch nicht. Gott möge es Euch verzeihen; denn seine Gnade hat mir die Kraft verliehen, daß ich nicht unter der Last zusammenbreche, die ich trage und getragen habe, damit Euch geholfen werde. Ihr werdet das schon einsehen, wenn Ihr mich einmal nicht mehr habt.*

*Ich muß Dir noch mitteilen, daß ich in diesem September vermutlich nicht nach Florenz kommen kann, weil ich bis über beide Ohren in der Arbeit stecke und kaum Zeit zum Essen habe. Gott möge geben, daß ich durchhalte. Deshalb will ich, sobald ich es kann, Lodovico die versprochene Vollmacht geben. Denn ich habe das niemals vergessen. Ich will Euch, wie ich es Euch zugesagt habe, tausend große Golddukaten in die Hand geben, damit Ihr davon, zusammen mit den anderen, die Ihr besitzt, ein selbständiges Geschäft aufmachen könnt. Von Eurem Gewinn will ich nichts. Ich will jedoch die Sicherheit haben, daß Ihr mir nach Ablauf von zehn Jahren, falls ich dann noch lebe, die tausend Dukaten in Sachwerten oder Geld zurückgebt, wenn ich sie anfordere. Doch ich glaube nicht, daß das geschehen wird. Sollte ich ihrer jedoch bedürfen, so müßte ich sie, wie gesagt, wiederbekommen können. Das wird zugleich ein Zügel für*

*Euch sein, daß Ihr sie nicht vergeudet. Überlegt es Euch also, beratet Euch und schreibt mir, wie Ihr es regeln wollt. Die vierhundert Dukaten, die Ihr von mir habt, sollt Ihr in vier Teile teilen, so daß ein jeder davon hundert bekommt. Ich schenke sie Euch hiermit. Hundert sind für Lodovico, hundert für Dich, hundert für Giovansimone und hundert für Gismondo unter der ausdrücklichen Bedingung, daß Ihr nichts anderes damit macht, als sie gemeinsam ins Geschäft zu stekken. Zeig Lodovico den Brief. Entscheidet Euch, was Ihr tun wollt, und gebt mir die Sicherheit, so wie ich es Euch vorgeschlagen habe ...*[66]

Der Bruder wird zuweilen über die pedantische Art Michelangelos aufgebracht gewesen sein. Das geht aus einem späteren Brief hervor:

*Buonarroto,*

*ich erfahre durch Deinen letzten Brief, daß der Rest des Geldes in Santa Maria Nuova liegt. Ich schrieb Dir, daß Du ihn dort wieder einzahlen solltest, da ich der Meinung war, Du hättest ihn Pier Francesco gegeben, damit der ihn mir durch einen Maultiertreiber schikke. Und weil mir das nicht behagte, schrieb ich Dir, Du möchtest ihn wieder dort einzahlen, wo er vorher war. Nun teilst Du mir mit, daß Du ihn gar nicht abgehoben hast. Die Angelegenheit ist also*

*Holzmodell für die Fassade von San Lorenzo. Florenz, Galleria Buonarroti*

*in Ordnung. Wir brauchen darüber kein Wort mehr zu verlieren. Wenn ich etwas davon brauchen sollte, werde ich Dich benachrichtigen. Du schreibst mir in einem Ton, als seist Du der Ansicht, daß ich mich über Gebühr um weltliche Dinge kümmere. Ach, ich kümmere mich darum mehr aus Sorge um Euch, als für mich selbst und habe es nie anders gehalten.*[67]

Der Auftrag für die Lorenzo-Fassade war erteilt worden, aber 1517 bestand noch kein Vertrag darüber. Michelangelo wandte sich darum an den Bevollmächtigten der Medici, Domenico Buoninsegni: *Die Sache ist die: Ich traue es mir zu, den Bau der Fassade von San Lorenzo so auszuführen, daß er architektonisch und bildhauerisch ein Vorbild für ganz Italien wird. Doch müssen sich der Papst und der Kardinal* (Giulio de' Medici) *schnell entschließen, ob sie nun wollen, daß ich ihn mache, oder nicht. Wenn sie aber wünschen, daß ich ihn mache, so müssen sie zu irgendeiner Abmachung kommen, müssen ihn mir entweder als Ganzes verdingen und mir dann in allem vollkommen vertrauen oder irgend etwas anderes bestimmen, was sie sich vielleicht noch überlegen werden und ich nicht wissen kann. Den Grund könnt Ihr Euch wohl denken.*

*Ich habe schon, wie ich Euch schrieb, und noch nachdem ich Euch geschrieben habe, viele Marmorblöcke verdungen, auch hier und dort Geld gezahlt und an verschiedenen Orten mit dem Abbruch begonnen. An manchem Platz, wo ich bereits viel Mühe aufgewandt hatte, sind die Blöcke dann nicht nach meinem Wunsch ausgefallen, denn mit den Steinen ist es eine trügerische Sache, ganz besonders mit den großen, die ich brauche, noch dazu, wenn sie so makellos sein sollen, wie ich sie haben will. Bei einem Stein, den ich schon hatte schneiden lassen, sind zum Berg hin ein paar Fehler zum Vorschein gekommen, die man nicht voraussehen konnte, so daß mir zwei Säulen, die ich daraus machen wollte, ausfallen. Ich habe dabei die Hälfte meines Geldes vertan. Es kann leicht geschehen, daß bei so vielen Blöcken eine nicht geringe Anzahl derartiger Zwischenfälle mich einige hundert Dukaten kostet. Ich weiß dann nicht, wie ich es berechnen soll. Ich kann ja schließlich nur die Ausgaben für die Blöcke ausweisen, die ich abliefern werde. Ich möchte es wohl gern wie der berühmte Doktor Pier Fantini machen, der als Arzt gleich Salbe und Verband mitlieferte, aber ich habe nicht so viel Salbe, daß sie reichen würde. Schon weil ich alt bin, sehe ich nicht ein, daß ich hier soviel Zeit vergeuden soll, nur um dem Papst zwei- oder dreihundert Dukaten zu ersparen ... Messer Domenico, ich bitte Euch, mir eine entschiedene Antwort über die Wünsche des Papstes und des Kardinals zu geben ...*[68]

Endlich, zweieinhalb Jahre nach der ersten Verhandlung, wurde der Vertrag Anfang 1518 geschlossen, zwei Jahre später wurde er wieder gelöst. Michelangelo vermerkte es unter dem 10. März 1520 in seinem Tagebuch: *... Nun hat mich Papst Leo von der Fassade von San Lorenzo befreit ...*[69]

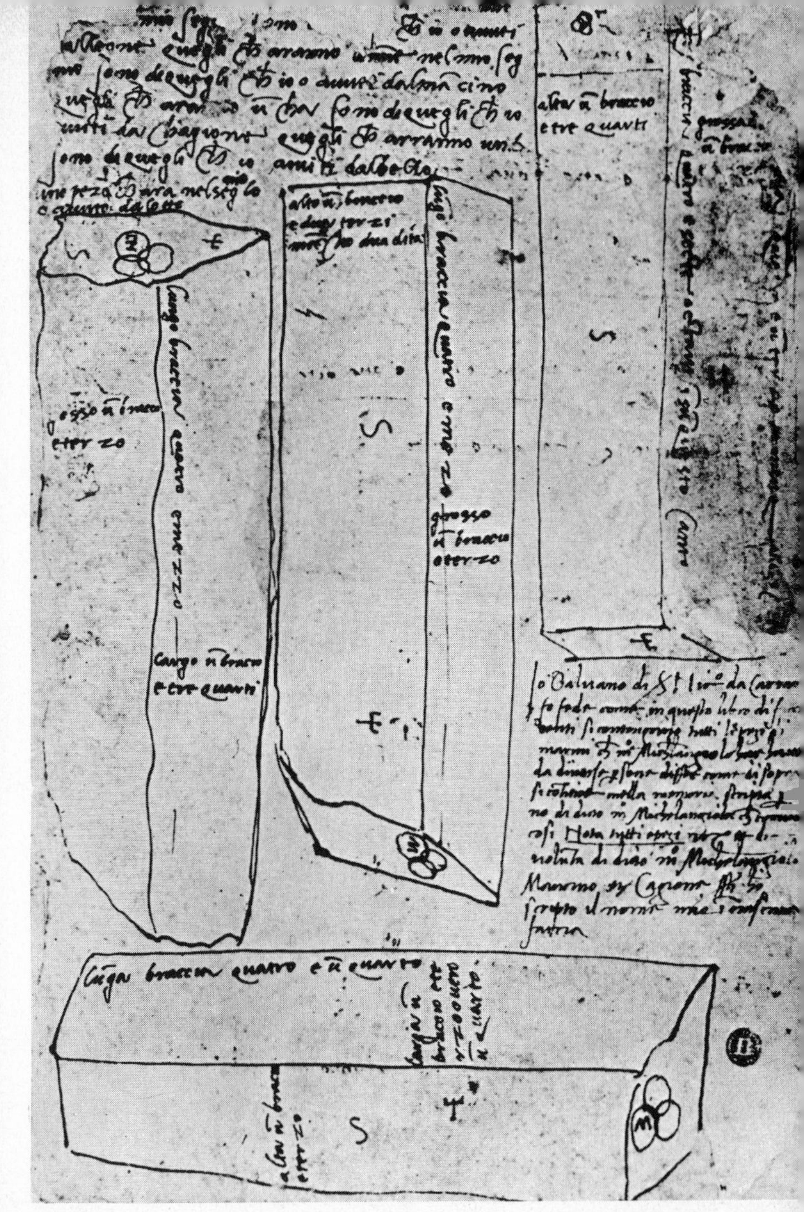

*Skizzen von Marmorblöcken, die Michelangelo in Carrara schlagen ließ, mit dem Steinmetzzeichen und der Eigentumsmarke des Künstlers. Florenz, Archiv Buonarroti*

Die Gründe für die Lösung sind nicht überliefert. Man darf aber annehmen, daß die Verschärfung der europäischen Spannungen dazu beitrug. Leo X., der mehr der Kunst als der Politik gelebt hatte, mußte sein Geld zusammenhalten. Deshalb wird er den kostspieligen Fassadenbau zurückgestellt haben. Es war damit zu rechnen, daß es zwischen Karl V. und Franz I. von Frankreich zu einem Krieg kommen werde.

Bildhauerische Arbeit war bis zur Vertragslösung noch nicht geleistet worden. Die Vorbereitungen verschlangen alle Kraft Michelangelos. Auf Wunsch des Papstes mußte er das Werk übernehmen und selbst den Marmor brechen, und zwar nicht wie bisher in Carrara, sondern in Pietrasanta, wo Florenz zwei Berge erworben hatte. Dadurch waren die Carraresen, bei denen er bisher seinen Marmor bezogen hatte, mit Recht verärgert. Sie bereiteten ihm Schwierigkeiten über Schwierigkeiten. Aber päpstliche Wünsche waren Befehle.

Einige Briefauszüge mögen die zermürbenden Umstände, unter denen der Bildhauer als Ingenieur, Straßenbaumeister und Spediteur tätig sein mußte, schildern. Dieses Mosaik gibt ein deutlicheres Bild der Schwierigkeiten und Widerstände als eine genaue Berichterstattung über äußerst komplizierte Vorgänge, die schließlich zu einem Ende vor dem Anfang wurden.

Die Carraresen versuchten es anfangs mit Bitten und Beschwörungen. Als der Vertrag über die Fassade von San Lorenzo auf sich warten ließ, faßte Michelangelo den Entschluß, Pietrasanta den Rükken zu kehren: *Ich schicke nun meinen Lehrbuben eigens nach dort, allein zu dem Zweck, daß er den ganzen Donnerstag über dableibe, um zu sehen, ob der Vertrag abgeschlossen wird. Freitag früh soll er wieder zurückkommen und mir Antwort bringen. Wird der Vertrag so abgeschlossen, wie ich es gefordert habe, so will ich die Arbeit fortführen. Sollte er den Donnerstag über nicht abgeschlossen werden, so werde ich zwar nicht annehmen, daß Jacopo Salviati* (Schwager Leos X.) *nicht den Willen hat, ihn abzuschließen, wohl aber daß er dazu nicht in der Lage ist; ich werde dann sofort zu Pferde steigen und den Kardinal de' Medici und den Papst aufsuchen, ihnen meine Meinung sagen, das ganze Unternehmen hier* (in Pietrasanta) *aufgeben und nach Carrara zurückkehren, denn man bittet mich darum, wie man nur Christus bittet ...*

Die Carraresen intrigierten: ... *Ich muß Dir noch mitteilen, daß ich inzwischen bis Genua gewesen bin, um Barken für den Abtransport der Marmorblöcke, die ich in Carrara habe, zu suchen ... Die Carraresen haben die Schiffer der Barken gegen mich aufgehetzt und mir so viel Schwierigkeiten gemacht, daß ich nun nach Pisa gehen muß, um andere zu beschaffen ...*

Michelangelo war verzweifelt: ... *Oh, tausendmal verflucht seien Tag und Stunde, wo ich von Carrara fortzog! Das ist noch der Grund meines Ruins! Heutzutage ist es Sünde, anständig zu handeln ...*

Die Steinmetzen in Pietrasanta taugten nichts: ... *Diese Steinmetzen, die ich von dort mitgenommen habe, verstehen sich auf nichts in der Welt, weder auf Steinbrüche noch auf Marmor. Sie haben mich schon mehr als 130 Dukaten gekostet und haben mir noch nicht einen Marmorsplitter gebrochen, der was taugte, und dabei rennen sie mir überall herum und prahlen damit, was alles für Kostbarkeiten sie gefunden hätten, versuchen aber mit dem Geld, das sie von mir bekommen haben, für die Dombauhütte und für andere zu arbeiten ... Es ist, als hätte ich es übernommen, Tote zu erwecken, indem ich diese Berge bezwingen und die Kunst in diese Gegend bringen will ... Die Barken, die ich in Pisa charterte, sind gar nicht angekommen. Ich glaube, man hat mich gefoppt ...*[70]

*Von den Steinmetzen ... sind allein Meo und Ciecone geblieben. Die anderen haben sich wieder auf und davon gemacht. Sie bekamen hier vier Dukaten von mir, und ich versprach ihnen, die laufenden Kosten für ihren Lebensunterhalt zu tragen, nur damit sie sich ganz für mich einsetzen könnten. Sie haben nur wenige Tage und die mit Widerwillen gearbeitet. So hat mir zum Beispiel dieser traurige Halunke von einem Rubecchio eine Säule, die er gebrochen hat, so gut wie verdorben. Aber es schmerzt mich mehr, daß sie nach Florenz gehen und mich und die Marmorbrüche in schlechten Ruf bringen, um sich zu entlasten, so daß ich keine Leute bekomme, wenn ich welche haben will. Ich wünschte we-*

*Der Sieger. Für das Julius-Grabmal bestimmt. Marmor, 1519–21. Florenz, Palazzo Vecchio*

*nigstens, daß sie den Schnabel hielten, da sie mich nun schon betrogen haben. Ich gebe Dir also Bescheid, damit Du sie zum Schweigen bringst ... denn diese Hansnimmersatte fügen dem Werk und mir großen Schaden zu ...*

*Sandro ist ebenfalls von hier weggegangen. Er war einige Monate mit einem großen und kleinen Maulesel und allem Gepränge hier und hat sich die Zeit mit Angeln und Liebeleien vertrieben ...*

Michelangelo baute eine Straße, um den Marmor abtransportieren zu können: *... Von der Straße kann man sagen, daß sie fertig ist, denn es bleibt nur wenig daran zu tun. Es müssen noch ein paar Felsen oder besser Abhänge durchschnitten werden. Der eine liegt dort, wo die Straße, die vom Fluß kommt, auf die alte Straße nach Rimagno trifft. Der andere Abhang liegt ein wenig hinter Rimagno auf dem Wege nach Seravezza; es ist ein großer Felsen, der die Straße schneidet. Der dritte liegt bei den letzten Häusern von Seravezza auf dem Wege nach Corvara. Ferner muß man noch einige Stellen mit der Spitzhacke einebnen. Alle diese Arbeiten könnten, weil sie nicht umfangreich sind, in vierzehn Tagen erledigt sein. Wenn es hier Steinmetzen gäbe, die etwas taugten. Am Sumpf bin ich seit etwa acht Tagen nicht gewesen. Damals waren sie gerade dabei, die schlimmsten Stellen so gut wie möglich aufzufüllen.*[71]

Felsen mußten durchschnitten, Sümpfe gangbar gemacht werden. Die üblichen Unglücksfälle kamen hinzu: *Von den Marmorblöcken habe ich die eine Säule, die unten am Flußbett und nahe der Straße gebrochen wurde, in Sicherheit. Sie abzuseilen, ist ein schlimmeres Geschäft gewesen, als ich gedacht hatte. Dabei haben sich einige verletzt, und einer hat sich sogar das Genick gebrochen und war sofort tot. Ich habe mein Leben dabei auch aufs Spiel gesetzt. Die andere Säule war fast ausgebrochen, als ich auf einen Riß traf, der sie mir verstümmelte ... Der Marmorbruch ist äußerst widerwärtig, und die Leute sind sehr unerfahren in diesem Handwerk.*[72]

*Das Grabmal des Papstes Julius II., unterer Teil. Moses noch 1516 vollendet. Rom, San Pietro in Vincoli*

Die Skulptur, an der er zuweilen seit 1519 für begüterte Römer arbeitete, wurde auch nicht fertig. Er hatte diesen Auftrag bereits 1514, als von der Fassade noch keine Rede war, übernommen. Da er von den Auftraggebern gedrängt wurde, ließ er auch seine Gesellen Urbano und Frizzi an dem *Christus mit dem Kreuz* arbeiten. Wieviel von ihm, wieviel von anderer Hand stammt, ist umstritten.

## Chronologie der Grabmals-Tragödie

1519 beschäftigte er sich auch wieder mit den Skulpturen für das *Julius-Grabmal*. Er setzte den Meißel an vier Blöcke, aus denen er die sogenannten *Unvollendeten Sklaven* herausschlug: den Bärtigen, den

Jugendlichen, den Erwachenden und den Atlas. Ob sie in Wahrheit unvollendet sind? Vielleicht nahm er äußere Hemmnisse und Ablenkungen als willkommene Anlässe entgegen, nicht weiter in den Stein dringen zu können? Vielleicht fürchtete er, die bildnerische Idee zu zerschlagen, sobald er sie deutlicher aus dem Block herausholte? Bis 1525 beschäftigte er sich mit ihnen. In den gleichen Jahren entstand der *Sieger.*

Das Grabmal für Papst Julius II. wuchs, nachdem Michelangelo sich von der Lorenzo-Fassade befreit hatte, in seiner Vorstellung weit über den Plan von 1516 hinaus, um dann 1525 in einem vierten Projekt auf eine einfache Wanddekoration in der Art des Quattrocento reduziert zu werden. Sieben Jahre später wurde der fünfte Vertrag geschlossen, der die Familienkirche der Rovere, San Pietro in Vincoli, zum Standort bestimmte und wieder auf den Plan von 1516 zurückging. 1542 endlich unterschrieb man den sechsten und letzten Vertrag, der verwirklicht wurde. In jenem Jahr begann Michelangelo mit den Gestalten der Rahel und Lea, die das beschauliche und das tätige Leben verkörpern. 1545 war das Monument aufgemauert, der Vorhang über diese Tragödie gefallen.

Vergegenwärtigt man sich in Stichworten die Chronologie der Werkgeschichte, so ergibt sich, daß Michelangelo an den Verzögerungen und Verkleinerungen des Plans kein Verschulden traf. Fünfmal mußte er das Grabmal anderen Wünschen der Päpste opfern, einmal für die Freiheit seiner Heimat. Dieses sind die Akte der Tragödie:

| | |
|---|---|
| 1505 | 1. PROJEKT |
| 1506 : | Erstes Hemmnis durch Julius II. selbst. Michelangelo mußte das Bronzebild des Papstes für Bologna gießen und anschließend das Deckengewölbe der Sixtinischen Kapelle ausmalen. |
| 1513 | 2. PROJEKT |
| 1513–16: | Die einzige ungestörte Arbeitsperiode. Es entstanden *Moses, Gefesselter Sklave* und *Sterbender Sklave.* |
| 1515–16: | Zweites Hemmnis durch Leo X. Der Bau der Fassade von San Lorenzo wurde geplant und machte eine Vertragsänderung erforderlich. |
| 1516 | 3. PROJEKT |
| 1516–20: | Die San Lorenzo-Fassade lähmt die Arbeit am Julius-Monument. |
| 1519–25: | In diesen Jahren arbeitet Michelangelo nebenher an Grabmalsskulpturen, an den vier *Unvollendeten Sklaven* und am *Sieger.* |
| 1521–34: | Drittes Hemmnis durch Leo X. und Kardinal Giulio de' Medici, den späteren Klemens VII.: Die *Medici-Kapelle.* |
| 1525 | 4. PROJEKT |
| 1527–31: | Viertes Hemmnis. Politische Gründe: Vertreibung der Medici. Michelangelo wurde Festungsbaumeister. Belagerung und Fall von Florenz. Rückkehr der Medici. |

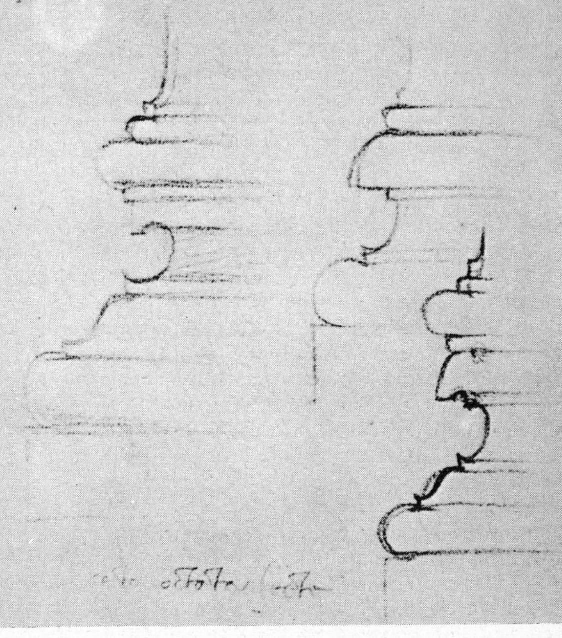

*Entwürfe von Pilasterbasen und Text von Michelangelo. Florenz, Casa Buonarroti*

1532 5. PROJEKT

1534–41: Fünftes Hemmnis durch Papst Paul III.: Michelangelo mußte in der Sixtinischen Kapelle *Das Jüngste Gericht* malen. Paul erfüllte dadurch einen Teil des künstlerischen Vermächtnisses Klemens' VII.

1542 6. PROJEKT

1542–45: Sechstes Hemmnis durch einen neuen Auftrag Pauls III.: Das Fresko *Die Kreuzigung Petri* in der Paulinischen Kapelle.

1545 : Das Werk wurde nach dem Vertrag von 1542 vollendet.

Zieht man die Summe, so waren vierzig Jahre seit dem ersten Plan verstrichen; siebenunddreißig davon gehörten quälenden Gedanken, nur drei dem ungestört tätigen Hammerschlag.

## DIE MEDICI-GRÄBER

### Die Werkidee

Über den Plan der Medici-Gräber verhandelte Michelangelo zum erstenmal im Herbst des Jahres 1520 mit dem Kardinal Giulio de' Medici. Bis auf Kuppel und Laterne war die Neue Sakristei von San Lorenzo aufgeführt. Michelangelo vollendete den Rohbau. Es war nur ein kleiner Ersatz für die Fassadengestaltung. Als man während des Planens von dem ursprünglich entworfenen Grabmal-Freibau abkam, stürzte Michelangelo sich begeistert auf die neue Aufgabe, deren Lösung Architektur und Skulptur harmonisch einen sollte. Sechs Mediceer sollten in der Kapelle ihre letzte Ruhestatt finden: Klemens VII., Leo X., Lorenzo il Magnifico, sein Bruder Giuliano, sein Sohn Giuliano (der Herzog von Nemours) und sein Enkel Lorenzo (der Herzog von Urbino). Michelangelo schuf nur die Grabmäler für die beiden Herzöge. Auch hier wieder wurde ein großer Plan verkleinert. In vierzehn Jahren meißelte Michelangelo die Bildwerke: *Giuliano, Lorenzo, Tag* und *Nacht, Morgen* und *Abend*, die *Madonna* und den *Kauernden Knaben*, der sich heute in der Leningrader Ermitage befindet. Daneben ist der Torso eines Flußgottes aus Modellstucco erhalten als ein Rudiment der Idee, unter den Bildern der Tageszeiten, zu Füßen der Capitani, die Unterwelt durch die Ströme des Hades darzustellen.

Auf ein Skizzenblatt, das drei Entwürfe zu Pilasterbasen der *Medici-Kapelle* enthält, schrieb Michelangelo diese Zeilen:

*Der Himmel* *und die Erde*

*Der Tag und die Nacht reden und sagen: Wir haben durch unseren schnellen Lauf den Herzog Giuliano zum Tode geführt. Da ist es nur verständlich, wenn er Rache nimmt, wie er es tut. Und die Rache ist diese: daß er uns, da wir ihn getötet haben, als ein Toter das Licht genommen und mit seinen geschlossenen Augen die unseren verschlossen hat, so daß sie nicht mehr auf der Erde leuchten; was er schon mit uns machen wollte, als er noch lebte.*[73]

Es handelt sich um ein Prosastück. Man hat darin ein Gedichtfragment sehen wollen und die Zeilen, soweit das möglich war, in Verse aufgeteilt. Es ist auch versucht worden, den Text in Madrigalform zu setzen. Diese Auffassung hat etwas Bestechendes, ist aber nicht stichhaltig. Die Worte *el cielo e la terra* (der Himmel und die Erde) werden bei diesen metrischen Transponierungen ausgelassen. Von einem Versmaß kann keine Rede sein, allenfalls von einem kräftigen Numerus. Tut man also dem Text keinen Zwang an, so bietet das Stück sich als ein Prosafragment dar. Vielleicht war es die Niederschrift des Gedankenganges zu einem verlorenen Gedicht, das entweder nicht erhalten ist oder nie geschrieben wurde; vielleicht war es auch die Erläuterung zu einem unbekannten Poem, wie er sie manchen anderen Versen beigegeben hat. Die Epitaphe auf Cechino Bracci, einen frühverstorbenen Neffen des mit Michelangelo befreun-

*Grabmal des Giuliano de' Medici mit der «Nacht» und dem «Tag». Marmor. Florenz, San Lorenzo, Cappella Medici*

*Die «Nacht» vom Grabmal des Giuliano.*
*Florenz, San Lorenzo, Cappella Medici*

deten Luigi del Riccio, Gelegenheitsgedichte, poetische Exerzitien, tragen solche Nachschriften, die oft in einem frivolen Gegensatz zum Inhalt der Verse stehen. Eines dieser Postscripta beginnt nun mit der gleichen Formel wie die Rede von Tag und Nacht:

> *El di e la nocte parlano e dichono*
> (Der Tag und die Nacht reden und sagen).[74]

Die Anmerkung zum achten Bracci-Epitaph beginnt:

> *L'amico vostro morto parla e dice*
> (Euer toter Freund redet und sagt).[75]

Die Übereinstimmung zwischen dem Postskriptum und dem Fragment auf dem Skizzenblatt spricht dafür, daß es sich um ein Prosastück, und zwar wahrscheinlich um die Nachschrift zu einem unbekannten Gedicht, handelt. Der philosophische Gehalt des Bruchstücks aber ist wesentlicher als seine mögliche poetische Gestalt. Die Aufzeichnung bietet die maßgebliche authentische Grundlage für eine Deutung der Medici-Gräber. Wenn man dem Vorgang der Niederschrift nachspürt, der sich aus der Anordnung der einzelnen Worte ergibt, gelangt man zu dem Ergebnis, daß Michelangelo, mit dem Entwurf beschäftigt, die Namen der vier Gestalten, Himmel und Erde, Tag und Nacht aufzeichnete, indem er dadurch gleichzeitig ihre mögliche räumliche Anordnung festhielt. Himmel und Erde sollten über Tag und Nacht in den Nischen rechts und links von der Gestalt Giulianos aufgestellt werden. Die Aufzeichnung hat daher Bedeutung für den Plan des Grabmals. Die Notiz ist so wichtig wie jede andere Arbeitsskizze.

Der Inhalt des Prosastücks deutet die Werkidee an. Michelangelo sagt: Tag und Nacht, und das heißt: die Zeit, haben Giuliano getötet. Er hat sich dadurch gerächt, daß er ihre Augen verschlossen hat. Sie sehen ihn nicht mehr. Sie haben keinen Einfluß mehr auf ihn. Nun ist es ihm gelungen, sich aus den Fesseln der Zeit zu befreien, und eben sie selbst, Tag und Nacht, haben dieses bewirkt, dadurch, daß sie ihn töteten. Was er im Leben immer wieder versucht, gewollt und ersehnt hat, ist ihm im Tode zugefallen, die Befreiung der Seele vom Körper.

Es ist der Gedanke der Auferstehung, zu der jede Seele schon im Leben hinstrebt.

Eine Beziehung zu Platons Unsterblichkeitsgedanken ist leicht zu entdecken, und es lassen sich insbesondere im «Phaidon» manche Belege finden, die eine gute Grundlage anbieten, um Michelangelos Gestaltungsidee systematisch auszubauen. Bei einem solchen Versuch ergeben sich überraschende Zusammenhänge. Es ist erwiesen, daß Michelangelo Giuliano und Lorenzo nicht porträtieren wollte. Er soll gesagt haben, daß es nach tausend Jahren niemanden berühre, wie die beiden Männer einmal ausgesehen hätten. Vielleicht gab er selbst den beiden Gestalten die Namen la vigilanza und il pensieroso, die im 18. Jahrhundert aufkamen; vielleicht sind diese Bezeichnungen damals nur neu aufgeblüht aus dem Stamm einer mündlichen Überlieferung, die auf den Künstler zurückgeht. La vigilanza ist die Wachsamkeit, und Wachsamkeit heißt im Griechischen phrura. Diese Vokabel ist doppeldeutig, sie bezeichnet zugleich den Kerker. Während des Lebens haust die Seele im Kerker des Leibes. Giuliano ist auf der Wacht. Die Gedankenbeziehungen reichen in die Orphik und wieder zurück über Pythagoras zu Platon. Die Grundidee Michelangelos wäre also ein Kompositum aus dem heidnischen Glauben an eine Wiedergeburt und dem christlichen Dogma von der Auferstehung.

Ein anderes Prosafragment, ebenfalls auf einer Skizze, auf einem

*Giuliano de' Medici, Herzog von Nemours.*
*Florenz, San Lorenzo, Cappella Medici*

Blatt, das den Entwurf zu einem Grabmal mit zwei Sarkophagen trägt, fügt sich nahtlos in diesen Zusammenhang. Es lautet:

*Der Ruhm zwingt die Grabmale zum Ruhen. Er schreitet weder vorwärts noch zurück; denn sie sind tot, beschlossen ist ihr Wirken.*[76]

In diesen Sätzen ist der Numerus des Originals so stark, daß man, besonders nach der letzten Zeile, die einen kräftigen Rhythmus hat, versucht wird, das Fragment in Verse aufzuteilen. Die letzte Zeile heißt:

*... perche son morti e loro operare e fermo.*

Schwierigkeiten für das Verständnis bereiten nur die beiden Worte *Ruhm* und *Grabmale*, die im Original als *fama* und *pitafi* erscheinen. *Fama* kann auch Gerücht bedeuten, doch gilt das gleich, denn Ruhm und Gerücht sind schnell. Im Lateinischen stand fama auch für die Schnelligkeit eines Gerüchtes. Ruhm ist also eine Metapher für Zeit. Und *pitafi* erklärt sich leicht als Bild für Abgeschiedene. Damit ist die fast gleiche Gedankenführung dieses Textes mit dem ersten erwiesen: Die Zeit hat die beiden Herzöge getötet. Die Zeit hat keinen Einfluß mehr auf sie, eben weil sie tot sind.

*Entwurf zu einem Grabmal mit zwei Sarkophagen, mit dem Text über den Ruhm und die Abgeschiedenen. Federzeichnung, Anfang 1521. London, British Museum*

Wesentlich an solcher Untersuchung ist die Erkenntnis, daß Michelangelo eine starke Beziehung zu Platon und Plotin hatte, daß er beide sehr eingehend studiert und selbständig verarbeitet haben muß. Dazu gibt es einen aufschlußreichen Beleg, dessen Bedeutung für Michelangelos Philosophieren noch nicht erschlossen wurde. Der Text ist ein philosophisches Fragment und steht unter einer geometrischen Skizze; er wurde zum erstenmal von Maurenbrecher veröffentlicht. Da der Text nicht durch Satzzeichen gegliedert ist, stellen sich dem Verständnis und der Übersetzung Schwierigkeiten entgegen. Maurenbrecher nennt die Aufzeichnung: «Sinnbildliche Darstellung und Niederschrift über den ‹Weg der Wahrheit› und den ‹Weg des Irrtums›.» Die Übertragung des syntaktisch dunklen Textes kann nur als ein Versuch gewertet werden. Im freihändig skizzierten Original sind die beiden Außenvierecke nicht, wie es dem Text entspricht, als Quadrate gezeichnet, sondern als Rechtecke mit den Seitenlängen 4,5 und 5 cm.[77]

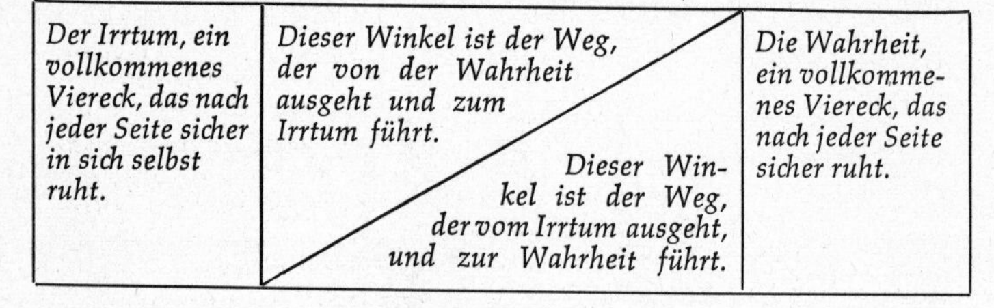


*Auf dem Weg zur Wahrheit gibt es keine Wahrheit, sondern nur die Vorstellung von der Wahrheit. Wie man auf dem Weg zur Wiese keine Wiese findet, es sei denn durch Vorstellung, wohl aber ihren Ort findet, ähnlich ist es auch mit der Wahrheit und ihrem Ort. Ebenso verhält es sich mit dem Weg zum Irrtum. Denn auf ihm findet man nicht den Irrtum, sondern nur seine Vorstellung und seinen Ort, so wie man, wie gesagt, auf dem Wiesenweg keine Wiese, sondern nur ihren Ort finden kann. Es ist gewiß, daß derjenige, welcher außerhalb der Wiese steht und ihr etwa um eine Handbreit nahe ist, sich an einem Ort befindet, von dem aus er sie sehen kann. Etwas anderes ist es, wenn er sich zehn Meilen von ihr an einem Ort befindet, von dem aus er sie nicht sehen kann. So weiß auch derjenige mehr um die Wahrheit, welcher ihr an einem Ort, von dem aus er sie sehen kann, näher steht, als wenn er ihr nicht nahe ist. Derjenige aber, welcher sich in größerer Entfernung von ihr befindet und an einem Ort steht, von dem aus er sie nicht sieht, weiß weniger um sie, und seine Erkenntnisse werden gehemmt.*

*Der Raum des Weges des Irrtums ist der Raum, den seine Vorstellung einnimmt, die sich um so mehr verringert, je mehr sie sich, wie aus der obigen Zeichnung erhellt, der Wahrheit nähert. Der*

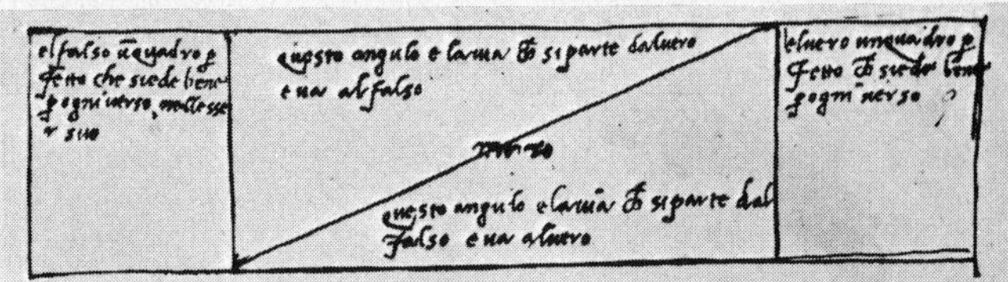

*Das philosophische Fragment «Über den Weg der Wahrheit und des Irrtums». Ende der zwanziger Jahre. London, British Museum*

*Raum des Weges der Wahrheit ist gleich dem Umfang ihrer Erkenntnis, die um so mehr wächst, je mehr sich der Weg der Wahrheit nähert; und je mehr er sich nähert, desto mehr erkennt man von ihr, mehr jedenfalls, als wenn man nicht auf diesem Wege geht. Nehmen wir an, daß die Wahrheit, vier Ellen nach jeder Seite messe* (ein Quadrat sei). *Hier, im Raum der Wahrheit, gibt es keine Vorstellung von ihr. Das ist gewiß. Denn, wer Gott sieht – und Gott ist die Wahrheit –, braucht sich nicht mit der Vorstellung von ihm zu begnügen. Für den dagegen, der sich mehr von der Wahrheit ent-*

*fernt, vermindert sie sich, während die Vorstellung von ihr wächst. Das soll heißen, daß die Wahrheit, die nach allen Seiten vier Ellen mißt, auf ihrem Weg wenig erkannt wird, es sei denn dort, wo ihr Raum ihren Weg berührt. Zur vollen Erkenntnis kann man aber auch dort nicht gelangen wegen der trennenden Seitenlinie des Quadrats. Ein schlechter Raum für Erkenntnisse ist in dem genannten Winkel für die Vorstellung, die wohl auf dem Wege des Irrtums bis zur erwähnten Linie gehen kann, die zur Wahrheit führt. Ich will damit sagen, daß sich auf dem halben Wege der Wahrheit Erkenntnis und Vorstellung der Wahrheit die Waage halten. Von einem Standpunkt aber, der weiter außerhalb der Wahrheit liegt, erscheint es mir, als ob die Wahrheit selbst schon im Winkel wäre, von dem aus ich sie nur erst sehe. Dagegen erkenne ich, je näher ich der Wahrheit bin, um so besser, daß ich mich außerhalb ihres Raumes befinde. Denn die Vorstellung, die um so stärker anwächst, je mehr sich die Wahrheit verringert, läßt mich in größerer Nähe der Wahrheit die Wahrheit selbst klarer erkennen, weil sie mir dort eine bessere Möglichkeit bietet, das, was ich für wahrer gehalten habe, mit dem zu vergleichen, das weniger wahr ist als im Winkel.*[78]

Dieses erkenntniskritische Fragment stammt, wie die beiden anderen Stücke, ebenfalls aus der Mitte der zwanziger Jahre des 16. Jahrhunderts, etwa aus der Zeit um 1525/26. Man könnte vermuten, daß es sich um die Abschrift aus einem zeitgenössischen philosophischen Werk handle. Dagegen sprechen jedoch einmal Korrekturen, die sich auf den Inhalt beziehen, und zum anderen Gedankenführung und Methode der Abhandlung. Sie ist Michelangelos Gedankengut und legt dar, daß es verschiedene Grade der Erkenntnis gibt.

Das linke Quadrat ist der Raum des Irrtums, der rechte der Raum der Wahrheit. Das obere Dreieck ist der Weg des Irrtums, das untere der Weg der Wahrheit. Außerhalb der Wege ist weder Irrtum noch Wahrheit, weil man sie nicht sehen kann. Auf dem Weg zur Wahrheit kann man die Wahrheit sehen. Je mehr man sich ihr nähert, desto mehr erkennt man von ihr. Im Raum der Wahrheit verschwindet die Vorstellung von ihr, weil man sie erkannt hat. Dieser Text beweist, daß neuplatonisches Denken Michelangelo nicht fremd war. Eine Verbindung zum «Theaitetos» ist nicht schwer aufzuzeigen. Mackowsky hat Michelangelo «konsequente Philosophie» abgesprochen. Seine Behauptung wird durch das Fragment widerlegt.

## Studien

In diesen Zusammenhang gehört auch die Frage, ob Michelangelo Latein verstand. Die Frage erscheint, losgelöst von seinem künstlerischen Wirken, müßig und unergiebig. Ihre Bejahung aber wäre ein weiterer Beweis für den Fundus wissenschaftlicher Kenntnisse, den er sich in seiner Jugend erworben und in reiferen Jahren durch Studium immer weiter angereichert hat. Wenn er die klassische

Sprache beherrschte, so vermochte er auch die lateinischen Editionen und Übersetzungen antiker Philosophen und Dichter zu lesen.

Zum Gegenbeweis führt man ihn selbst an, indem man einen Passus aus dem von Giannotti aufgezeichneten Dialog zitiert. Dort sagt Michelangelo:

*Io hò pur sentito dire che Catone Censorino Cittadino Romano imparò lettere Grece nel LXXX. anno della sua età. Sarebbe egli però così gran fatto, che Michelagnolo Buonarroti Cittadino Fiorentino imparasse le latine nel settantesimo?* [79]

Das heißt: Cato habe im achtzigsten Lebensjahr lettere Grece gelernt – da könne doch wohl Michelangelo in seinem Siebzigsten die latine lernen. Die sich auf diese Stelle berufen für den Nachweis, daß Michelangelo des Lateinischen unkundig gewesen sei (wie etwa Frey), sprechen von seiner «Absicht, im siebzigsten Lebensjahre Latein zu lernen, wie Cato mit achtzig Griechisch». Imparare lettere grece und imparare lettere latine heißt aber nicht, Griechisch oder Lateinisch lernen. Das hat Cato nie getan, und Michelangelo dachte ebensowenig daran. Die Schulkenntnisse hatten sie sich bereits in der Jugend erworben und durch Übung erhalten und verbreitert. Sonst hätte schon Montaigne mit seiner Bemerkung über Cato recht gehabt, wenn er sagt: «Das heißt man bei uns: wieder kindisch werden. Jedes Ding hat seine Zeit.»[80] Aber Montaigne hat seinen Plutarch schlecht gelesen, vielleicht auch hat der alte Spötter ihn absichtlich falsch zitiert. Plutarch hat nie behauptet, Cato hätte den Wunsch geäußert, griechische Vokabeln zu lernen und griechische Deklination und Konjugation zu üben. Er schreibt vielmehr: «Im übrigen soll er [Cato] sich erst spät griechische Bildung angeeignet und im hohen Alter Werke der Griechen in die Hand genommen haben. So hat er denn für seine Redekunst einiges aus Thukydides, mehr noch aus Demosthenes gelernt. Doch sind seine Schriften reichlich mit Lehren und Anekdoten aus dem Griechischen durchsetzt, und in seiner Sammlung von Sentenzen und Denksprüchen ist vieles wörtlich aus dem Griechischen übertragen.» (Übers. von Wilhelm Ax[81].)

Lettere latine heißt lateinische Gelehrsamkeit, Bildung allenfalls, moderner ausgedrückt, Philologie, oder auch Redekunst. Der Exkurs über Latinität wird durch den Hinweis auf ein Buch in Fluß gebracht, das die lateinische Redekunst behandelt. Die lateinische Redekunst beherrschte Michelangelo nicht, wenn er auch die klassische Sprache verstehen konnte. Einer seiner Jugendfreunde wurde später dadurch bekannt, daß er Vorträge über alle Wissensgebiete lieber in lateinischer Rede als auf italienisch hörte. Dieser Freund war Leo X., von dem Ranke berichtet: «Den wohlgeschriebenen Eingang der Geschichte des Livius las er selber seiner Gesellschaft vor: er meinte, seit Livius sei so etwas nicht geschrieben worden. Wenn er sogar lateinische Improvisatoren begünstigte, kann man beobachten, wie sehr ihn das Talent des Vida hinriß, der Dinge wie das Schachspiel in den vollen Tönen glücklich fallender lateinischer Hexameter zu schildern wußte. Einen Mathematiker, von dem man rühmte, daß er seine Wissenschaft in elegantem Latein vortrage, berief er aus Portugal zu sich: so wünschte er Jurisprudenz und Theologie gelehrt, die Kirchengeschichte geschrieben zu sehen ...»

Michelangelo und Giovanni de' Medici haben in ihrer Jugend mit den gleichen Gelehrten verkehrt, unter einem Dach gelebt und an der gleichen Tafel gesessen, an der es gewiß nicht verboten war, lateinisch zu sprechen. Es wäre nicht zu verstehen, wenn bei der fast gleichen Erziehungsgrundlage aus dem ehemaligen Giovanni de' Medici ein lateinischer homme de lettres, aus Michelangelo dagegen ein Ignorant geworden wäre.

Das von Donato Giannotti festgehaltene Gespräch wurde 1545 geführt. Es ist, soweit es Michelangelo betrifft, als mittelbares Selbstzeugnis zu werten. Giannottis Persönlichkeit bürgt für die Echtheit der von ihm überlieferten Worte seines großen Freundes. Vor seiner Verbannung aus Florenz war er Staatssekretär der letzten Republik dieser Stadt gewesen. Zudem hatte er sich als politischer Schriftsteller einen Ruf erworben. Das Gespräch, das in zwei Dialoge zerfällt, behandelte das Thema: «Über die Tage, in denen Dante Hölle und Fegefeuer durchwanderte», ein Problem, das damals Bedeutung für die Dante-Forschung hatte, die eine selbständige Wissenschaft war. Der zweite Gesprächsteilnehmer, Luigi del Riccio, einer seiner besten Freunde, war im Bankhaus der Strozzi angestellt und Buonarrotis juristischer Beistand. Er regelte vor allem die Geldgeschäfte des Künstlers. Der Gelehrte Antonio Petreo gehörte zu den führenden Dante-Forschern. Auch Michelangelo genoß den Ruf eines bedeutenden Dantista; man sagte von ihm, daß er die «Göttliche Komödie» und andere Werke des Dichters fast auswendig konnte.

Die vier Freunde begegneten einander, so beschreibt es der Dialog, auf dem Kapitolsplatz. Das mag an einem Herbstmorgen gewesen sein. Antonio und Luigi überquerten diskutierend die Piazza gerade in dem Augenblick, als Michelangelo und Donato aus dem Senatorenpalast traten, wohin Geschäfte sie geführt hatten. Sie beschlossen, die günstige Stunde zu nutzen und sich den beiden anderen zu einem Spaziergang anzuschließen, und wurden sogleich in den Disput hineingezogen, dessen Inhalt und Ergebnis aber hier nicht interessieren.

Der Spaziergang führte die vier Freunde in Richtung auf San Giovanni in Laterano. Als sie die Kirche passiert hatten, verabschiedete sich

Michelangelo: *Wie Ihr seht, haben uns unsere Schritte zu dem Ort geführt, der für uns alle dem eigenen Haus am nächsten liegt. Ich meine daher, es wäre gut, wenn nun ein jeder essen ginge. Wollt Ihr aber weiter diskutieren ... so können wir uns ja noch ein anderes Mal zusammenfinden.*

Antonio: Ich wüßte keine passendere Zeit als heute nach dem Mittagessen. Laßt uns irgendeinen Treffpunkt vereinbaren.

Luigi: Ich muß heute noch zu Priscianese. Ich werde gleich nach dem Essen zu ihm gehen und Euch dort erwarten. Wir wollen dann einen Spazierweg wählen, und Michelangelo kann seine Erörterung fortsetzen.

Donato: So wollen wir es halten.

Michelangelo: *Wer ist dieser Priscianese?*

Donato: Wie? Ihr kennt Messer Francesco Priscianese nicht?

Michelangelo: *Ich habe einen Messer Francesco Priscianese als einen kenntnisreichen Mann loben hören, als einen Mann, der auch die Gesetze der lateinischen Rede in toskanischer Sprache abgehandelt hat. Soweit ich gehört habe, wird dieses Werk von den Gelehrten sehr gelobt.*

Donato: Eben das ist von ihm. Es ist sicher, daß alle, die gute Schriften studieren wollen, ihm sehr verpflichtet sind, da er den Stoff so leicht und gefällig behandelt hat, daß ihn jeder allein und ohne Lehrer begreifen kann.

Michelangelo: *Er verdient sicher ein solches Lob, weil er der Allgemeinheit dadurch viel zugänglich macht. Ihr regt mich an, sein Buch zu studieren, um dadurch lateinische Bildung zu gewinnen. Ich*

*Das Kapitol um 1540 mit der Reiterstatue Marc Aurels*

*habe ja auch von Cato dem Censor und Römischen Bürger sagen hören, daß er in seinem achtzigsten Lebensjahr griechische Bildung erwarb. Wäre es da etwas so Besonderes, wenn Michelangelo Buonarroti, Bürger von Florenz, sich im siebzigsten Lebensjahr lateinische Bildung aneignete?*

Donato: Es wäre wirklich nichts Besonderes. Ich kann Euch nur darin bestärken, zumal deshalb, weil ich weiß, daß Ihr Euch nicht nur des Buches unseres Priscianese, sondern auch seiner selbst ganz nach Wunsch bedienen könntet.

Michelangelo: *Laßt uns jetzt Mittagessen gehen und ein andermal bedenken, ob ich mich in meinem Alter noch darauf verlegen soll, lateinische Bildung zu erwerben, so wie es Cato mit dem Griechischen hielt, obwohl er viel älter war als ich. Und nach dem Essen wollen wir uns bei Priscianese einfinden, denn ich weiß, wo er wohnt.*

Antonio: Ich möchte, bevor ich mich von Euch trenne, noch etwas bemerken. Hätten wir heute morgen, als wir über Messer Michelangelo sprachen, gesagt, daß er außer seiner Kenntnis in anderen Wissenschaften auch in der Astrologie [Astronomie] erfahren sei, so hätten wir uns, wie Ihr gesehen habt, nicht geirrt.

Michelangelo: *Was wir heute morgen über Astrologie erörterten, ist wenig. Und nur, wer die Himmelssphäre kennt, kann beurteilen, daß ich die Wahrheit sage. Ich habe mir stets ein Vergnügen daraus gemacht, mich mit gelehrten Persönlichkeiten zu unterhalten. Und es hat, wenn ich mich recht erinnere, in Florenz keinen Wissenschaftler gegeben, der nicht mit mir befreundet gewesen wäre, so daß ich, wie Ihr gesehen habt, einiges gelernt habe, was mir jetzt zustatten kommt, wenn ich Dante lese, Petrarca und die anderen Schriftsteller, die man in toskanischer Zunge liest. Doch laßt uns jetzt ohne längeres Verweilen essen gehen.*

Luigi: Das Beste, was Ihr tun könntet, wäre, Ihr kämet alle zu mir zum Essen.

Antonio: Wenn Messer Michelangelo mitgeht, schließen wir uns an.

Michelangelo: *Ich kann Eure Einladung leider nicht annehmen.*

Luigi: Warum nicht?

Michelangelo: *Weil ich zu Hause bleiben möchte.*

Luigi: Und aus welchem Grund?

Michelangelo: *Wenn ich mich in dieser Gesellschaft befinde, was der Fall wäre, wenn ich mit Euch speiste, ergötzte ich mich allzu sehr; und ich möchte mich nicht zu viel vergnügen.*

Luigi: Das ist das Sonderbarste, was ich je gehört habe. Wer suchte denn nicht zuweilen irgendein Vergnügen, irgendeine Freude, um die Kümmernisse, Mühen und Unannehmlichkeiten, die unser Leben begleiten, wenigstens zum Teil auszugleichen und die Gedanken von jenen Dingen abzulenken, die beschwerlich und lästig sind, und so durch Ergötzung zu sich selbst zu finden? Es ist doch tatsächlich so: wenn wir uns im Geiste mit irgendeiner Sache beschäftigen, dann sind wir nicht wir selbst, sind vielmehr den Dingen verhaftet, um die unsere Gedanken kreisen. Verharren wir aber zu lange in einem solchen Zustand, so werden wir unser Leben vorzeitig beenden. Darum ist es bisweilen notwendig, bei irgendeiner ehrbaren Vergnügung zu sich und zur Selbsterkenntnis zurückzufinden, um sich, so gut es geht, in diesem Leben zu behaupten. Kommt also mit uns zum Essen. Es werden dort nur vortreffliche und freundliche Menschen anwesend sein, die Euch sehr zu schätzen wissen. Wir werden es auch nicht an jenen Vergnügungen fehlen lassen, die man in aller Ehrbarkeit von jedermann annehmen kann, ganz abgesehen von den angenehmen Gesprächen, die wir miteinander führen werden. Ein Musiker wird da sein, der das Monochord spielt, und ein Tänzer auch, wenn Ihr Euch überwinden könntet, den Zuschauer bei ein paar Tänzen zu spielen. Ich verspreche Euch, daß wir alle tanzen werden, wenn Ihr mitkommt, um die Melancholie aus Eurem Geiste zu vertreiben.

Michelangelo: *Ach, Ihr macht mich lachen, wenn Ihr ans Tanzen denkt. Ich sage Euch, in dieser Welt kann man nur weinen.*

Luigi: Und eben darum müssen wir lachen, wenn wir uns, so gut es geht, bewahren wollen, wie wir von Natur aus sind.

Michelangelo: *Da seid Ihr in einem großen Irrtum befangen. Ich will Euch beweisen, daß Ihr mit Eurer Überlegung im dunkeln tappt. Ihr habt sie nur angestellt, um mich zu veranlassen, Euch zum Essen zu begleiten. So sollt Ihr dieses wissen: Ich bin ein Mann, der so stark dazu neigt, die Menschen zu lieben, wie wohl kein anderer, der je geboren wurde. Wann auch immer ich einen kennenlerne, der irgendeine Tugend besitzt oder geistige Beweglichkeit zeigt oder etwas besser zu tun oder zu sagen weiß als andere, so muß ich mich in ihn verlieben und mich ihm so ganz zuneigen, daß ich nicht mehr mir selbst, sondern nur ihm gehöre. Wenn ich also mit Euch, die Euch Tugend und Anstand zieren, zum Essen ginge, so würde mir jeder Gast, den ich bei Tisch träfe – abgesehen von dem, was mir jeder von Euch dreien hier genommen hat –, einen anderen Teil meines Selbstes rauben, einen anderen Teil der Musiker, wieder einen anderen der Tänzer. Und so bekäme ein jeder seinen Teil. Vertraute ich also Eurer Behauptung, daß ich in Eurer fröhlichen Gesellschaft wieder zu mir selbst fände, so verlöre ich mich ganz und gar und wüßte dann tagelang nicht, in welcher Welt ich wäre.*

Donato: Dagegen gibt es ein Mittel.

Michelangelo: *Welches?*

Donato: Wenn Ihr, wie Ihr behauptet, Euch jetzt verloren habt, könnt Ihr ja heute abend zum Essen kommen. Dann wird Euch jeder den Teil zurückgeben, den er Euch raubte. So fändet Ihr Euch wieder und hättet Euch selbst nur einen halben Tag verloren. Das ist kein großer Verlust, besonders nicht, wenn er der Einsatz dafür ist, so vielen gemeinsamen teuren Freunden Vergnügen zu bereiten.

Michelangelo: *Ganz im Gegenteil, es würde die gegenteilige Wirkung haben. Denn, anstatt mir das zurückzugeben, was Ihr mir genommen habt, würdet Ihr mir heute abend den Rest rauben, falls*

*Michelangelo im 71. Lebensjahr. Stich von Giorgio Ghisi*

*mir überhaupt noch etwas übrig geblieben ist. Darum laßt uns auf anderes denken. Ich gebe Euch dies zu überlegen: Will man sich selbst wiederfinden und aufrichten, so ist weder Vergnügen noch Zerstreuung, sondern nur der Gedanke an den Tod das rechte Mittel. Er allein führt uns zur Selbsterkenntnis, er allein gibt uns Selbstvertrauen und verhindert, daß uns Verwandte, Freunde, große Meister, daß uns Ehrgeiz, Geiz und andere Laster und Sünden berauben. Durch sie verliert, verschwendet und zerstört der Mensch sich selbst, ohne daß er je wieder zu sich findet. Das aber ist das Wunderbare dieses Gedankens an den Tod: alle Dinge zerstört der Tod nach seiner Natur; jene dagegen, welche die Kraft haben, an ihn zu denken, festigt er und bewahrt sie vor allen menschlichen Leidenschaften. Ich habe, wie mir einfällt, diesen Gedanken bereits in einem kleinen Madrigal entsprechend behandelt. Ich rede darin von der Liebe und komme zu dem Schluß, daß nichts uns sicherer vor ihr schützt als der Gedanke an den Tod.*

Antonio: Tragt es uns bitte vor und laßt uns dann ohne weitere Reden essen gehen, allerdings mit der Absprache, daß sich ein jeder von uns zur Vesper im Hause Priscianeses einfinden möge.

Michelangelo: *Ich bin es zufrieden, wenn Ihr noch diese kleine Nichtigkeit von mir hören wollt:*

*Nicht nur der Tod, die Furcht vor ihm allein*
*kann mir schon Rettung sein,*
*wann immer diese schöne Frau mich quält.*
*Und wenn dann, selbstgewählt,*
*mich sengend hält umfangen Feuersglut,*
*so festigt meinen Mut*
*das Bild des Todes tief in meiner Brust.*
*Des Todes Nähe hindert Amors Lust.*

Mit dem Vortrag dieses Madrigals endet der erste Dialog. Der Giannotti-Text klärt mehr als Michelangelos Beziehung zur Latinität. Das Gespräch deutet auch seine oft mißverstandenen Sympathien für andere Menschen. Außerdem ergänzt es die Aussagen der beiden besprochenen Prosafragmente durch den Hinweis auf die sittliche Kraft des Gedankens an den Tod.

Die Gesamtheit der Texte, die zwei Prosastücke, das philosophische Stück und das Gespräch machen uns vertraut mit Michelangelos Weltsicht. Gott ist die Wahrheit. Der Raum der Wahrheit ist der Raum Gottes. Nur im Tode tritt der Mensch ein in diesen Raum, dem er immer zustreben soll. Gerade aus den zwanziger Jahren des Cinquecento sind viele Selbstzeugnisse erhalten, die das Persönlichkeitsbild Michelangelos deutlicher zeichnen. Das mag ein Zufall sein, kann aber auch darin gründen, daß er bei der Abwehr der kriegerischen Not der Zeit, in den Tagen der Belagerung von Florenz, vor allem innere Sammlung fand, indem er sich gründlich mit Studien in den verschiedensten Wissensgebieten beschäftigte. So stammt aus dieser Zeit auch ein medizinisches Manuskript, eine Aufzeichnung von Rezepten gegen Augenkrankheiten. Während seiner Arbeit unter der Decke der Cappella Sistina wird er zum erstenmal Sehbeschwerden und andere entzündliche und leicht schmerzhafte Augenleiden gehabt haben.

Die Rezeptensammlung steht auf den letzten Seiten des vatikanischen Codex mit den Gedichten Michelangelos. Während Berger die Abfassung in das achte Lebensjahrzehnt, also etwa in die fünfziger Jahre legt, setzt Maurenbrecher sie um 1525 an. Ein Vergleich der Schriftzüge dieses Traktats mit anderen Aufzeichnungen läßt Maurenbrecher folgern, daß das Manuskript vor dem Entwurf

*König Franz I. von Frankreich. Gemälde von Jean Clouet. Paris, Louvre*

*Kaiser Karl V. Gemälde von Bernaert van Orley, um 1521. Budapest, Museum*

des philosophischen Textes entstand. Dafür spricht die Tatsache, daß Michelangelo in der Rezeptensammlung auch Mittel aufführt, die der bloßen Pflege und Stärkung der Augen dienen. Er hat seine Notizen daher vermutlich schon zu einer Zeit gemacht, als er noch nicht ständig unter stärkeren Augenkrankheiten zu leiden hatte. Sieben Abschnitte des Traktats übernahm Michelangelo aus dem «Liber de oculo» des Petrus Hispanus, eines Scholastikers von Rang. Unter dem Namen Johannes XXI. war der Gelehrte in den Jahren 1276 und 1277 neun Monate Papst. Er galt als einer der berühmtesten Logiker der Pariser Schule, dessen Lehrbuch «Summulae logicales» ins Griechische übersetzt wurde – ein seltener Vorgang – und Jahrhunderte das führende Schulbuch war. Die Exzerpte, die Michelangelo aus der medizinischen Schrift des Petrus Hispanus übernahm, sind eigenartigerweise gerade die Kapitel, die wohl in den lateinischen Handschriften, nicht aber in dem altitalienischen Codex der Biblioteca Laurenziana zu Florenz enthalten sind. Michelangelo muß die Rezepte also aus einem lateinischen Codex der Ophthalmologie übersetzt haben. Das läßt sich auch durch Textvergleich an Übersetzungsfehlern nachweisen. Damit ist ein weiterer Beweis für die Lateinkenntnisse Michelangelos erbracht.

Der Augentraktat ist unvollständig, denn er beginnt mit den Worten:

*Item arrossore ardore dolore e plurito docchi ... Ferner bei entzündlicher Rötung, Brennen,*

*Schmerzempfindlichkeit und Jucken. Nimm 1 Quentchen Leberaloe, 1/2 Glas Rosen- oder Regenwasser und bereite daraus Augenwasser...*

## Florenz und die europäischen Machtkämpfe

Die anderthalb Jahrzehnte, in denen Michelangelo an den Medici-Gräbern arbeitete, waren die unruhigsten und schwersten für ihn. Florenz gehörte immer noch zu den wichtigsten Handelsmetropolen der Welt, und die verwirrend gegenläufigen Winde, die über Europa wehten, fuhren auch stets über die Mauern der Arno-Stadt. Bis zur letzten Erhebung gegen die Medici im Jahre 1527 berührte die Politik Michelangelo nicht sehr, aber mit der Wiedererrichtung der Republik stand er mitten im politischen Alltag seiner von Parteikämpfen zerrissenen Heimatstadt. Als Festungsbaumeister und führendes Mitglied des Verteidigungsrates mußte er sich die Stunden künstlerischer Arbeit stehlen.

Während der Arbeitsperiode an den Medici-Gräbern stand Europa in Flammen. Franz I. von Frankreich und Karl V. waren seit der deutschen Kaiserwahl (1519) erbitterte Gegner. Sie stritten um Burgund, Mailand und Neapel und um die Vorherrschaft in Italien. Das filzige Knäuel aus Hausmachts- und Landesinteressen, aus abendländischen Konzeptionen, die der Abwehr des wachsenden türkischen Druckes galten, und aus persönlichen Antrieben, deren Kräfte, Richtungen und Ziele schwierig zu entdecken waren, ließ sich kaum entwirren, zumal Klemens VII. und Heinrich VIII. von England als Bundesgenossen des einen oder anderen Gegners ständig wechselten. Geheimverträge mit dem Feind waren an der Tagesordnung. Jeder mißtraute jedem. Karl verfolgte nicht nur territoriale Ziele, er strebte wie sein ehemaliger Lehrer Papst Hadrian VI. ein Reformkonzil an, dem die Kirchenpolitik des Medici entgegenstand. Klemens VII. schlug sich daher auf die Seite des Franzosen, und beide schlossen mit England, Venedig und Mailand die Heilige Liga von Cognac. Am 6. Mai 1527 wurde Rom von Karls Truppen eingenommen und geplündert. Der Papst verschanzte sich in der Engelsburg und floh sechs Monate später nach Orvieto, im Bettlergewand und bettelarm.

Florenz nutzte den Sacco di Roma aus und verbannte am 19. Mai die Medici zum drittenmal. Es wäre vernünftig gewesen, wenn sich die Stadt, die bisher mit den Franzosen verbündet war, mit Karl verglichen hätte, der ihr für diesen Fall Hilfe gegen den Papst zugesichert hatte. Doch der Gonfalioniere Niccolò Capponi setzte sich vergeblich für eine solche Politik ein.

Im Herbst des nächsten Jahres kehrte Klemens VII. in das verwüstete Rom zurück. Er fand sich mit allem ab, nur nicht mit dem Verlust seiner Heimatstadt. So suchte er einen Ausgleich mit Karl, um mit deutscher Hilfe die Herrschaft über die Toscana zurückzugewinnen. Er hatte Erfolg, und im September 1529 rückte das kaiserliche Heer gegen Florenz. Ein Jahr später mußte die Stadt kapitulieren.

*Papst Klemens VII.*
*Gemälde von Sebastiano del Piombo, 1526. Neapel, Capodimonte*

Der Stadthauptmann Malatesta Baglioni hatte sie dadurch in die Hände des Feindes gespielt, daß er die Strategie der Kaiserlichen durch unauffällige taktische Züge unterstützte. Baglioni aber war nicht der einzige Verräter innerhalb der Mauern von Florenz. Es gab viele Medici-Anhänger in der Stadt, und einige bekleideten wichtige Ämter. Michelangelo, der die Gefahr rechtzeitig erkannte, warnte die Signoria und forderte Gegenmaßnahmen. Statt ihm zu danken, lachte man ihn aus, bediente ihn mit Grobheiten und schalt ihn ängstlich und grundlos mißtrauisch. Da er Mitglied des Verteidigungsrates der Neun und bevollmächtigter Kriegsbaumeister war, ließ er sich die respektlose Behandlung nicht bieten und verließ am 21. September 1529 die Stadt in Richtung Ferrara, wo er kurz vorher einige Wochen gewesen war, um die Befestigungsanlagen zu besichtigen, die ebenso berühmt waren wie die Kunstsammlungen des Stadtherrn Alfonso I.

Michelangelo vermutete mit Recht, daß auch in der Regierung Verräter saßen. Seine energische Stellungnahme blieb Malatesta natürlich nicht unbekannt. Michelangelo nahm daher die dringliche Warnung, man trachte ihm nach dem Leben, ernst. Der Stadthauptmann war nicht nur in der Lage und fähig, ihn zu beseitigen, er hätte auch nichts zu befürchten gehabt, da ihm, wie später offenbar wurde, von Klemens Ablaß für alle Taten gegeben worden war, die der Eroberung von Florenz dienten. Von Ferrara ging Michelangelo nach Venedig. Sein Ziel war Frankreich. Er bat den Florentiner Kunsthändler Giovanbattista della Palla, der seiner Heimat gleichfalls den Rücken kehren wollte, von Venedig aus um seine Begleitung:

*Battista, teuerster Freund.*

*Ich bin von dort gegangen – und ich glaube, Ihr wißt das –, um nach Frankreich zu gehen. Bei meiner Ankunft in Venedig habe ich mich nach dem Weg erkundigt, und man hat mir gesagt, daß man von hier aus deutsches Land durchqueren müßte, was gefährlich und schwierig sei. Deshalb habe ich mich entschlossen, von Euch, wenn es beliebt, zu erfahren, ob Ihr noch zur Reise geneigt seid. Und so bitte ich Euch denn dringend, gebt mir darüber Bescheid wie auch über den Ort, wo ich Euch erwarten soll. Wir könnten dann zusammen reisen. Ohne irgendeinem meiner Freunde auch nur ein Wort zu sagen, bin ich Hals über Kopf abgereist. Obwohl ich, wie Ihr wißt, auf jeden Fall nach Frankreich gehen wollte und mehrmals ohne Erfolg um Urlaub gebeten hatte, war ich dennoch entschlossen, frei von Furcht das Ende des Kriegs abzuwarten. Dienstag morgen aber, am 21. September, kam einer vor die Porta San Niccolò, wo ich auf den Bastionen weilte, und offenbarte mir insgeheim, daß ich nicht länger bleiben könnte, wollte ich mit dem Leben davonkommen. Er begleitete mich nach Hause, speiste dort mit mir, besorgte mir ein Reitpferd und trennte sich nicht eher von mir, als bis er mich aus Florenz heraus hatte, wobei er mir ständig bewies, daß das nur zu meinem Besten sei. Ob es Gott oder der Teufel war, weiß ich nicht.*

*Ich bitte Euch, antwortet mir auf meine Anfrage, und zwar so schnell Ihr könnt, denn ich brenne darauf, zu gehen. Solltet Ihr aber nicht mehr zur Reise geneigt sein, so gebt mir, bitte, auch darüber Bescheid, damit ich mich endgültig entschließen kann, wie ich am besten reise, wenn ich allein gehe.*

*Euer Michelagniolo Buonarroti.*[82]

Aus dem Brief geht hervor, daß zwischen der Auseinandersetzung mit der Signoria und der Warnung einige Zeit verstrichen sein muß; denn Michelangelo hatte mehrfach um Beurlaubung gebeten und offenbar mit Giovanbattista über eine gemeinsame Reise nach Frankreich gesprochen. Er war daher verpflichtet, den Freund über die plötzliche Abreise zu unterrichten. Auch mußte er einen Treffpunkt vereinbaren. Der Kunsthändler hatte erst kurz zuvor den *Herkules* von einem Agenten der Strozzi erworben und ihn an Franz I. verkauft. Michelangelo hätte ohne Zweifel am französischen Hof gute Aufnahme und ein reiches Arbeitsfeld gefunden.

Außer dem Brief ist von der venezianischen Reise noch eine Spesenaufstellung erhalten, die nicht nur als kulturhistorische Miniatur von Wert ist, sondern auch als Zeugnis dafür, daß Michelangelo ein vermögender Mann war. Das kann man durch einen Vergleich dieser Lebenshaltungskosten mit seinen Einnahmen erschließen. Der Spesenzettel stammt vom 10. Oktober 1529 und hält die Kosten für fünf Reisetage und vierzehn Tage Aufenthalt in Venedig fest. Die Abrechnung führt Dukaten, Lire und Soldi auf. Ein Dukaten hatte 14,7 Lire, eine Lira 20 Soldi. Den Dukaten muß man mindestens mit 10 Goldmark zum Kurs von 1913 und die Goldmark, gemessen an der Kaufkraft, mit 10 DM ansetzen. In der folgenden Aufstellung erscheint in der ersten Spalte neben den Florentiner Werten der Betrag in Goldmark, in der zweiten Spalte in Deutscher Mark. Bei der Umrechnung ist die Lira zu 0,68, der Soldo zu 0,035 Goldmark angenommen.[83]

| Florentiner Währung | Goldmark | Deutsche Mark |
|---|---|---|
| *10 Dukaten an Rinaldo Corsini* | = 100,00 | = 1000,00 |
| *5 Dukaten an Messer Loredano für Miete* | = 50,00 | = 500,00 |
| *17 Lire für Antonios Beinkleider* | = 11,56 | = 115,60 |
| *1 Dukaten für seine Stiefel* | = 10,00 | = 100,00 |
| *20 Soldi für ein Paar Schuhe* | = 0,70 | = 7,00 |
| *Für zwei Sitzschemel und für einen Eßtisch und für eine Truhe 1/2 Dukaten* | = 5,00 | = 50,00 |
| *8 Soldi für Stroh* | = 0,28 | = 2,80 |
| *40 Soldi an Fuhrlohn für ein Bett* | = 1,40 | = 14,00 |
| *10 Lire für einen Gesellen, der aus Florenz kam* | = 6,80 | = 68,00 |
| *3 Dukaten für die Barken von Bondino nach Venedig* | = 30,00 | = 300,00 |
| *20 Soldi an Piloto für ein Paar kleine Schuhe* | = 0,70 | = 7,00 |
| *6 Dukaten von Florenz nach Bondino* | = 60,00 | = 600,00 |
| *Zwei Hemden: fünf Lire* | = 3,40 | = 34,00 |
| *Ein kleines Barett und ein Hut: 60 Soldi* | = 2,10 | = 21,00 |
| *14 Tage in Venedig: 20 Lire* | = 13,60 | = 136,00 |
| *Ungefähr 4 Dukaten an Piloto für Pferde von Florenz nach Bondino* | = 40,00 | = 400,00 |

Die Ausgaben Michelangelos für 19 Tage betrugen 33,45 Dukaten gleich 334,50 Goldmark oder 3345 Deutsche Mark.

Für die Ausmalung des Deckengewölbes der Sixtinischen Kapelle erhielt er ein Honorar von 6000 Dukaten. Da die Arbeit sich über 53 Monate erstreckte, entsprach das einem Monatseinkommen von 113,20 Dukaten oder 11 320 Deutsche Mark.

Es wurde bereits erwähnt, daß Michelangelo im allgemeinen mit 20 Dukaten monatlich auskam, mit 200 Goldmark also oder 2000 DM. Auf die Fahrt nach Frankreich, die in Venedig enden sollte, nahm er 3000 Dukaten mit; das sind, umgerechnet, 300 000 Deutsche Mark. Es kann nicht wundernehmen, daß Michelangelo in der Lage war, sich Grundbesitz zu erwerben und Geld auszuleihen. Erstaunlich ist freilich sein ewiges Klagen über Geldmangel, sein Zorn, wenn Zahlungen überfällig wurden, und wenn er sie, ganz gleich, ob freundlich oder grob, mit der Behauptung anmahnte, er sei ohne Mittel. Er war darin eben ein harter Geschäftsmann, ein Florentiner Pfennigfuchser, wenn man will.

Michelangelo war zum zweitenmal auf einer Flucht in Venedig und zum zweitenmal aus einem politischen Grund, nur unter anderem Vorzeichen. 1494 war er als Familiare des Hauses Medici und als Vertrauter Pieros geflohen, jetzt, 35 Jahre später, als Gegner der Familie. Dazwischen lag die Flucht aus Rom, weil Julius II. ihm den Stuhl vor die Tür gesetzt und ihm Geld verweigert hatte. Die Flucht des Jahres 1529, die dritte also, ist die berühmteste, denn sie blieb bis heute mehr als die beiden anderen in aller Mund, da sie Charaktereigenschaften zu bestätigen scheint, die man aus den Begebenheiten der ersten und zweiten Flucht erschlossen zu haben glaubt. Nach dieser Meinung floh Michelangelo 1529 wie 1494 aus Feigheit, von Angst gepeitscht, heimlich und überstürzt.

Die Ereignisse von 1494 und 1529 zeigen auffällige Ähnlichkeiten. Michelangelo floh aus politischen Gründen; außerdem befand er sich objektiv in Lebensgefahr. Nur hatte die politische Entscheidung, die Michelangelo 1529 traf, mehr Gewicht und größere Wirkungen. Er gefährdete die Verteidigung der Stadt und mußte damit rechnen, sein Vermögen zu verlieren. Als Festungsbaumeister gehörte er zu der kleinen Führungsgruppe, in deren Händen das Schicksal der Republik lag. Da die Regierung ihm, einem Mitglied des Generalstabs, in einer bedeutenden Angelegenheit Gehör und Respekt versagte, indem sie ihn wie einen Narren behandelte, bat er folgerichtig um seinen Abschied und stellte damit sein Amt zur Verfügung. Das Entlassungsgesuch wurde abgelehnt. Michelangelo blieb und baute die Stellung bei San Miniato weiter aus. Was nun bis zu dem Tag geschah, an dem er die dringende Warnung erhielt, ist nicht überliefert. Die beiden Wochen werden mit schweren Auseinandersetzungen zwischen ihm und der Regierung ausgefüllt gewesen sein.

Man mag Michelangelos Verhalten als Flucht oder gar als Desertion bezeichnen – eine moralische Belastung ergibt sich nicht daraus, sobald man die Zeitgeschichte einbezieht. Michelangelo bewies im Gegenteil politischen Verstand, Tatkraft und Furchtlosigkeit, weil er die kritische Lage erkannte, entsprechend handelte und sich selbst dadurch gefährdete, daß er einem Feind der Republik, der außerhalb und innerhalb der Stadtmauern mächtige Bundesgenossen besaß, die Stirn bot.

Neun Tage nachdem Michelangelo Florenz verlassen hatte, wurden alle Flüchtlinge zu Rebellen erklärt und für den Fall, daß sie nicht bis zum 7. Oktober zurückkehrten, mit Verbannung und Vermögensbeschlagnahme bedroht. Michelangelo blieb in Venedig. Trotzdem fehlte sein Name auf der am 8. Oktober veröffentlichten Proskriptionsliste. Die Regierung hatte inzwischen ihren Gesandten in Ferrara beauftragt, sich mit Michelangelo in Verbindung zu setzen und ihn zur Rückkehr zu bewegen. Der Festungsbaumeister verlangte freies Geleit. Es wurde ihm gewährt. Der Steinmetz Bastiano di Francesco, der auf dem venezianischen Spesenzettel als Geselle erscheint, überbrachte ihm die Nachricht, daß er in Sicherheit zurückkehren könne, und dazu zehn Briefe von Freunden, die an seinen Patriotismus appellierten. Der Kunsthändler Giovanbattista della Palla schrieb ihm: «Wendet Euch wieder dem Vaterlande zu, um Euch dieses, Freunde, Ehre und Besitz zu erhalten und Euch jener Zeiten zu erfreuen, die Ihr einst so heiß ersehntet... Ich erkenne unsere Bürger eines Sinnes und voll herrlicher Leidenschaft, die Freiheit zu bewahren.»[84]

Freundesworte solcher Art bewegten ihn zur Umkehr. Um den 20. November traf er in Florenz ein und übernahm sofort seine alte Tätigkeit. Alle Verfügungen, die man gegen ihn getroffen hatte, wurden aufgehoben – bis auf eine politische Einschränkung: er konnte drei Jahre nicht in den Großen Rat gewählt werden.

Neun Monate später wurde Michelangelo um den Preis der republikanischen Freiheit rehabilitiert. Ohne Baglioni hätte der Prinz von Oranien, der kaiserliche Feldherr, die Stadt nicht erobert. Eine Aushungerung war unmöglich, da der Befehlshaber der im Vorfeld von Florenz operierenden Gruppen, Francesco Ferrucci, die Verbindung nach Empoli aufrechterhielt. Der Oranier konnte ihn nur ausschalten, wenn er den größten Teil seiner Belagerungsarmee abzog. In diesem Fall hätten die Stadttruppen einen Ausfall gemacht und

*Plan für eine Befestigungsanlage in Florenz von Michelangelo, 1529. Florenz, Uffizien*

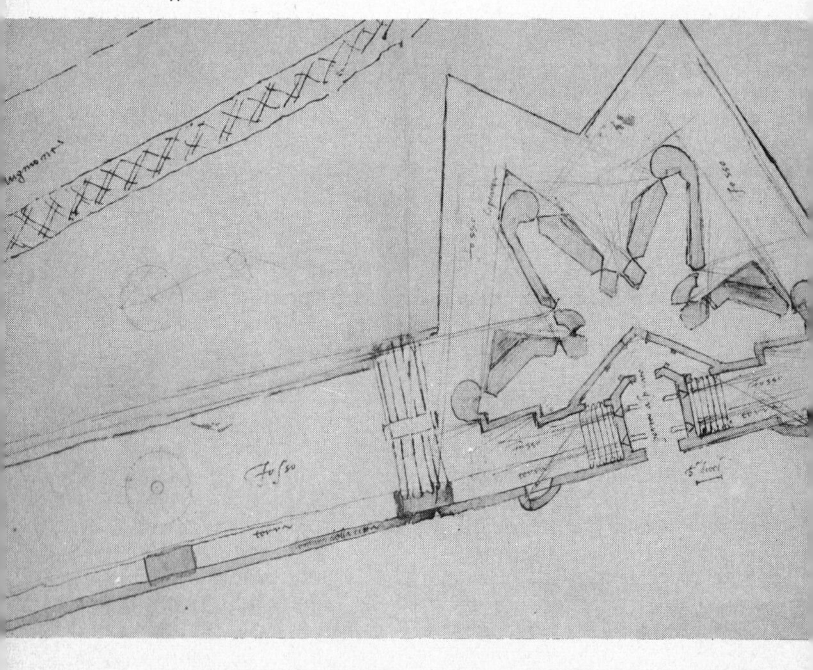

die schwachen restlichen Scharen vor den Mauern der Stadt vernichtet. In dieser Situation griff Malatesta Baglioni ein, indem er dem Prinzen versprach, einen Ausfall zu verhindern. So kam es zu einem ungleichen Kampf in den Bergen von Pistoia, den Ferrucci verlor.

Am 12. August kapitulierte Florenz. Der Kaiser übergab die Stadt dem Papst, der Baccio Valori als Gouverneur einsetzte. Klemens versprach, die republikanische Regierungsform nicht anzutasten. Michelangelo mußte sich bei einem Freund verbergen, denn anfangs führten die Henker das Regiment. Die besten Freunde wurden verhaftet oder hingerichtet. Michelangelo verließ sein Versteck erst, nachdem er von Klemens die Zusicherung erhalten hatte, daß er unbelästigt bleiben werde.

*Alessandro de' Medici. Gemälde von Angelo Bronzino. Florenz, Palazzo Riccardi*

Nach der Kapitulation von Florenz arbeitete Klemens wider sein Versprechen, die demokratische Verfassung nicht anzutasten, mit hinterhältiger Geduld auf sein Ziel hin, die Republik in ein Herzogtum umzuwandeln. Er setzte 1531 Alessandro als seinen bevollmächtigten Vertreter ein. Der Bastard aber brauchte, um den väterlichen Plan verwirklichen zu können, innerhalb der Stadtmauern militärischen Schutz; er mußte eine Zwingburg bauen lassen, in der die kaiserlichen Truppen, die ihm zur Verfügung standen, kaserniert werden konnten. Er soll Michelangelo aufgefordert haben, diese Fortezza zu bauen, und Michelangelo soll es abgelehnt haben. Entspräche diese Überlieferung den Tatsachen, so wäre damit der maßlose Haß, mit dem Alessandro den Künstler verfolgte, einleuchtend erklärt. Solange Klemens lebte, war Michelangelo geschützt; aber Rom war weit, und Alessandro unberechenbar. Der nächste Schritt war bald getan. Durch kaiserliches Dekret – Florenz hatte bei der Kapitulation Karl V. als Herrn Italiens anerkannt – wurde die republikanische Verfassung außer Kraft gesetzt. Der Moro, wie man den Sohn des Papstes nannte, war nun Alleinherrscher über Florenz. Am 1. Mai 1532 empfing er den Herzogtitel.

Kurz nachdem die *Medici-Kapelle* für die Allgemeinheit geöffnet wurde, fand man an der Statue der *Nacht* ein Blatt mit einem Epigramm, dessen Verfasser der Florentiner Gelehrte Giovanni Strozzi war:

Auf die Nacht.
Das schlafend Bild der Nacht siehst du hier, milde
Bewegt. Ein Engel hat's aus Stein gehauen.
Es schläft. Drum magst du seinem Leben trauen.
Erweck es! Antwort wird dir dann vom Bilde.[85]

Michelangelo beantwortete Strozzis bewundernde Verse mit einem politischen Epigramm:

*Gnad ist der Schlaf mir, steinern Sein ist weise,*
*heute, wo Schande und Verderben währen.*
*Nichts sehn, nichts hören ist mein hoch Begehren.*
*Drum achte meine Ruh! Ach! Rede leise!*[86]

## Der Koloss und die Leda

In seinem Arbeitsalltag ging Michelangelo auf den alten Wegen, die mit den üblichen Schwierigkeiten gepflastert waren, mit Streitigkeiten, die aus dem Ungenügen der Mitarbeiter entstanden, mit Unzuträglichkeiten, die sich ergaben, weil Zahlungen ausblieben, und mit den Auswirkungen des Konkurrenzkampfes zwischen Carrara und Pietrasanta. Ein Brief an Klemens VII. bezieht sich auf die geschäftliche Unordnung in der Beschaffung und Bearbeitung des Marmors.

*Heiligster Vater,*
*Da Vermittler oft Anlaß zu großen Ärgernissen geben, so erkühne ich mich, Eurer Heiligkeit ohne solche wegen der Grabdenkmäler zu schreiben. Ich weiß wirklich nicht, was besser ist, das Böse, welches nützt, oder das Gute, welches schadet. Doch, so närrisch und ungeschickt ich auch sein mag, einer Sache bin ich sicher: hätte man mich so weiterarbeiten lassen wie im Anfang, so würden heute alle Marmorblöcke für dieses Werk in Florenz richtig zugehauen sein, und zwar mit geringeren Kosten, als man bis jetzt dafür aufgewendet hat. Und sie wären gleich vorzüglich geworden, wie die anderen, die ich hergebracht habe.*

*Nun sehe ich, die Angelegenheit zieht sich in die Länge, weiß aber nicht, wie sie enden mag. Darum bitte ich Eure Heiligkeit schon heute um Entschuldigung für den Fall, daß etwas eintreten sollte, was Euch mißfällt; denn da ich die Leitung hier nicht habe, so fühle ich mich eben auch frei von Verantwortung. Wenn Eure Heiligkeit will, daß ich irgend etwas schaffe, so bitte ich Dieselbe, mir in meiner Kunst keinen Aufpasser vor die Nase zu setzen, mir vielmehr Vertrauen zu schenken und freie Hand zu lassen. Ihr werdet dann sehen, was ich vollbringen und wie ich mich verantworten werde. Stefano* (di Tommaso Lunetti, ein Architekt) *hat die Laterne der Kapelle fertig aufgesetzt und enthüllt. Sie gefällt allgemein und, wie ich hof-*

*fe, auch Eurer Heiligkeit, wenn Ihr sie erst sehen werdet. Wir lassen nun den Knauf machen, der ungefähr eine Elle hoch wird, und ich habe mir gedacht, ihn einmal zum Unterschied von anderen facettieren zu lassen, was auch geschehen wird.*

*Eurer Heiligkeit Diener*
*Michelagniolo, Bildhauer in Florenz* [87]

Der Brief belegt den Freimut, mit dem er den Großen der Welt gegenübertrat, und widerlegt das Wort Rollands: «Er war schwach den Fürsten gegenüber.»[88]

Neben der Arbeit für die Kapelle wurde er mit dem Bau der Bibliothek von San Lorenzo beauftragt. Außerdem vollendete er eine zweite Fassung des Christus in Santa Maria sopra Minerva, da die erste verworfen worden war. Der *Apollo*, auch *David* genannt, entstand 1531. Von einer geplanten Herkulesgruppe ist eine Vorstudie in ungebranntem Ton erhalten.

Einen überaus grotesken Vorschlag Klemens' VII. lehnte er ab. Der Adressat ist Kaplan Giovan Francesco Fattucci in Rom, der bei diesem Handel den Vermittler spielte:

*Treppe in der Biblioteca Laurenziana in Florenz. 1559/60*

*Messer Giovan Francesco.*

*Hätte ich so viel Kraft, als ich Heiterkeit aus Eurem letzten Brief empfing, ich könnte gewiß und schnell alles ausführen, was Ihr mir schreibt. Da ich aber nicht so stark bin, kann ich nur tun, was ich eben vermag. Über den Vierzig-Ellen-Koloß, der nach Eurem Bericht an der Ecke der Gartenloggia der Medici gegenüber dem Eckhaus des Messer Luigi della Stufa einherspazieren oder besser gesagt, aufgestellt werden soll, habe ich nachgedacht, und das nicht zu knapp, so wie Ihr es mir empfahlt. Doch meine ich, an jene Ecke paßt er nicht gut, weil er zuviel von der Straße mit Beschlag belegen würde. Nach meiner Ansicht wäre es viel praktischer, ihn auf der anderen Seite zu errichten, dort, wo sich der Barbierladen befindet, weil er dann die ganze Piazza vor sich hätte und der Straße mehr Raum ließe. Da der Abbruch dieses Ladens wegen der Einnahmen vielleicht nicht tragbar wäre, so habe ich daran gedacht, die Figur in sitzender Haltung darzustellen. Der Sitz müßte dann so hoch sein, daß man darin den Barbierladen unterbringen könnte, indem man den Bau, der ja ohnehin aus einzelnen Werkstücken zusammengesetzt würde, hohl ausführte. So würde man der Miete nicht verlustig gehen. Und damit dieser Laden auch, wie bisher, einen Abzug für den Rauch hätte, so müßte man der Statue wohl ein hohles Füllhorn in die Hand drücken, das dann als Schornstein dienen könnte. Wenn man weiter den Kopf wie die anderen Glieder einer solchen Figur hohl ließe, könnte man auch daraus, so glaube ich, noch allerlei Nutzen ziehen. Ich habe da nämlich auf der Piazza einen guten Freund, einen Höker, der mir insgeheim riet, man müsse darin einen Taubenschlag einrichten. Mir aber ist noch ein anderer, weit besserer Einfall gekommen, aber dafür müßte man die Figur noch größer bauen; und warum auch nicht, denn schließlich baut man ja aus einzelnen Steinen auch Türme! Ihr Kopf müßte nämlich San Lorenzo als Glockenturm dienen. Er braucht ja dringend einen. Wenn man dann die Glocken darinnen zöge, und ihr Klang aus dem Munde dröhnt, so würde sich das anhören, als schreie der Koloß nach Gnade, besonders an Festtagen, wenn man häufiger und mit den mächtigeren Glocken läutet.*

*Was nun aber die Anlieferung der Marmorblöcke für diese Statue betrifft, so müßte man sie, damit niemand davon erführe, wohl nachts und hübsch verpackt kommen lassen, so daß sie nicht gesehen werden. Am Stadttor mag es ja schwierig für uns sein. Aber dafür werden wir auch schon einen Ausweg finden. Im schlimmsten Fall haben wir noch das Tor von San Gallo, wo das Einlaßpförtchen bis zum Tagesanbruch offengehalten wird.*

*Was die Ausführung oder Nichtausführung der noch anstehenden Arbeiten angeht, die erledigt werden müssen, so soll man sie schon von denen machen lassen, die dazu verpflichtet sind, denn ich werde so viel zu tun haben, daß ich mich nicht darum reiße, noch mehr zu werken. Mir genügt dies, denn es ist schließlich eine ehrenvolle Aufgabe ...*[89]

*Leda. Kopie nach Michelangelo. Rubens-Schule. Dresden, Museum*

Dieser dreiundzwanzig Meter hohe Koloß wurde natürlich nie geschaffen. Der Priester Fattucci nahm den Brief übel und hüllte sich zwei Monate in Schweigen. Der Papst gab dem Künstler durch einen anderen Mittler zu verstehen, daß der Plan kein dummer Witz, sondern ernst gemeint sei. Er verübelte ihm jedoch die bissige Ablehnung nicht und schrieb eigenhändig ein paar gütig ermahnende Zeilen unter die Botschaft seines Beauftragten: «Du weißt, daß die Päpste nicht lange leben. Wir wünschen ja nicht mehr, als die Kapelle mit Unseren Gräbern noch zu sehen oder wenigstens zu wissen, daß sie vollendet wird, und die Bibliothek auch. Deshalb legen Wir Dir das eine wie das andere ans Herz und fügen Uns, wie Du ja festgestellt hast, in gute Geduld, indem wir Gott bitten, Dir Mut zu geben, und Dich, nicht zu zögern und nicht zu zweifeln. Weder an Aufgaben noch an Geld soll es Dir fehlen, solange Wir leben. Sei gesegnet von Gott und von Uns.»

Klemens verstand Michelangelo zu behandeln. Der persönliche Ton seiner Zeilen wird dadurch unterstrichen, daß er Wunsch und Bitte nicht als Pontifex unterzeichnet, sondern mit seinem Familiennamen Giulio.

Während des republikanischen Interregnums konnte Michelangelo nur heimlich an den Medici-Gräbern arbeiten. Das war möglich, weil er den einzigen Schlüssel zur neuen Sakristei besaß. Nicht Giuliano de' Medici, nicht Lorenzo schlug er aus dem Marmor, nicht für den Medici-Papst führte er den Meißel, er gab seinem Gedanken von der Befreiung der Seele durch den Tod Gestalt.

Zu den Nebenarbeiten dieser Zeit gehörte die *Leda*, von der heute nur noch Kopien existieren. Er erfüllte damit sein Versprechen gegenüber dem Herzog Alfonso I. von Ferrara. Das Bild kam jedoch nie in den Besitz des befreundeten Fürsten, weil der Höfling, den er darum nach Florenz schickte, sich derart dumm und ungehobelt aufführte, daß Michelangelo ihn hinauswarf. Er schenkte es seinem Hausgesellen Antonio Mini zusammen mit anderen Arbeiten, Kartons und Zeichnungen sowie Wachs- und Terrakotta-Modellen. Mini mußte Florenz wegen familiärer Schwierigkeiten verlassen und ging nach Frankreich. Das Gemälde wurde ihm veruntreut. Es ist nie wieder aufgetaucht.

Michelangelos *Leda* ist die Inkarnation der Wollust; das lassen schon die Kopien von Rosso Fiorentino (London) und die eines venetianischen Meisters (Venedig), vornehmlich aber die Kopie aus der Rubens-Schule (Dresden) erkennen. Sie ist in ihrer Körperhaltung der *Nacht* am Grabe Giulianos verwandt. Liebespoesien, zumeist Fragmente, die in den Tagen der Belagerung entstanden, eben zu der Zeit, als Michelangelo die *Nacht* und den *Morgen* (richtiger: die *Morgenröte*) aus dem Marmor schlug, deuten auf ein starkes erotisches Erlebnis hin, zumal zwei Strophen eines unvollendeten Sonetts

*Der Morgen (Die Morgenröte). Vom Grabmal des Lorenzo de' Medici, Herzog von Urbino. Florenz, San Lorenzo, Cappella Medici*

die einzigen Verse enthalten, in denen noch die Glut naher Erinnerung schwelt.

*Hier war's, wo meine Liebe mir entrissen*
*das Herz und ihre Gnade und das Leben,*
*wo ihre Blicke Hoffnung wollten geben*
*und wieder nahmen, was sie kurz mir ließen.*

*Hier band und löst' sie mich ohne Gewissen;*
*hier weinte ich, der Klage hingegeben;*
*von diesem Stein aus sah ich fort sie streben,*
*die mir, mich fliehend jetzt, mein Selbst entrissen.*[90]

Die Gedichte dieser Zeit, die *Leda* und die Skulpturen der *Nacht* und des *Morgens* bezeugen das natürliche erotische Empfinden Michelangelos und widerlegen klarer und eindeutiger als alle anderen Argumente die Verleumdungen Aretinos.

Michelangelo erhielt Aufträge über Aufträge für Skulpturen und Gemälde; man fragte ihn um Rat für den Bau von Villen, Fassaden, für eine Kirche und eine Brücke. Die Anträge nahmen derart überhand, daß er den Papst um Beistand bat. Daraufhin erließ Klemens ein Breve, durch das dem Künstler auferlegt wurde, nur für die *Medici-Kapelle* und das *Julius-Grabmal* zu arbeiten. Jede andere Tätigkeit wurde ihm bei Strafe der Exkommunikation verboten. Es gab einen zweiten wichtigen Grund für diese päpstliche Anordnung. Freunde hatten Klemens ihre Besorgnisse um Michelangelos Gesundheit mitgeteilt, denn der Künstler trieb Raubbau mit seinen Kräften, er aß zu wenig und schlecht und schlief kaum; außerdem arbeitete er auch im Winter in der eiskalten Sakristei. Der Papst stand ihm ebenfalls in der bedrückenden Affäre des *Julius-Grabmals* zur Seite, verlangte aber seine Anwesenheit bei den Vertragsverhandlungen in Rom. Bei dem Abschluß des vierten Vertrages von 1532 ging es mehr um die Bereinigung finanzieller Differenzen als um künstlerische Fragen. Michelangelo war bei der Unterzeichnung nicht anwesend, da Klemens ihn am gleichen Tage nach Florenz zurückschickte; wahrscheinlich befürchtete er, daß der Bildhauer im letzten Moment Schwierigkeiten machte. Daraus ergaben sich später Unstimmigkeiten, über die Michelangelo sich in einem Brief von 1542 beschwerte, als er auf die Ratifikationsurkunde des letzten Grabmalsvertrages wartete: ... *Man malt mit dem Verstand und nicht mit den Händen; und wer seinen Verstand nicht beisammen hat, tut sich selbst Schimpf und Schande an. Solange darum meine Angelegenheit nicht geordnet ist, bringe ich nichts Gutes zustande. Die Ratifikation des letzten Vertrages* (von 1542) *kommt nicht, und auf Grund des anderen, der in Gegenwart von Klemens gemacht wurde, werde ich täglich gesteinigt, als hätte ich Christus gekreuzigt. Ich erkläre, daß ich diesen Vertrag in Gegenwart von Papst Klemens anders vorlesen hörte, als die Abschrift lautete, die ich später erhielt. Das lag dar-*

*an, daß der Gesandte* (des Herzogs von Urbino) *beim Notar war und ihn nach seinem Wunsche ausfertigen ließ, während Klemens mich noch am gleichen Tage nach Florenz schickte. So fand ich denn, als ich ihn nach meiner Rückkehr einforderte, 1000 Dukaten* (zu meinen Lasten) *mehr darin, als vereinbart war, und zwar auf das Haus* (am Macel de' Corvi), *in dem ich wohne. Ich fand aber noch einige andere Schlingen, mich darin zu verfangen und zu ruinieren, die Klemens nicht zugelassen hätte. Fra Sebastiano* (del Piombo) *kann es bezeugen; er wollte sogar, ich sollte es den Papst wissen und den Notar aufknüpfen lassen. Das aber wollte ich nicht, denn ich konnte ja nicht durch einen Vertrag verpflichtet werden, dem ich nicht zugestimmt hätte, wenn ich beim Abschluß dabei gewesen wäre ...*[91]

## Pest und Tod

Zu allen anderen Übeln hielt 1528 die Pest ihren Einzug in Florenz. Der Bruder Buonarroto starb. Michelangelo trug nicht nur schwer an dem menschlichen Verlust, denn Buonarroto war trotz allen Auseinandersetzungen sein Lieblingsbruder, er büßte mit ihm auch den einzigen Menschen ein, der sich guten Willens bemühte, ihm einen Teil der familiären Belastungen abzunehmen.

Sechs Jahre später, zwei Monate bevor Michelangelo Florenz für immer verließ, starb der Vater. In einem Capitolo, das er noch in den dunklen Stunden des Schmerzes geschrieben zu haben scheint, befreite er sich von den tausend Qualen der letzten Jahre:

*Obwohl mein Herz bedrückt war übers Maß*
*und ich am Ende meinte, durch mein Schrein*
*dem Schmerze zu entgehn, der mich besaß,*

*so taucht mich doch das Schicksal wieder ein*
*in solchen Quell und tränkt mein Eingeweide*
*mit Tod, nicht irgend einer mindern Pein:*

*da du fortgingst; daß ich euch unterscheide,*
*vom Bruder und von dir durch meines Munds*
*und meiner Feder Klage rede, leide.*

*Bruder der eine, du der Vater uns.*
*Ihn liebt ich, zu dir zwingt mich die Natur;*
*ich weiß nicht, was mich mehr ergreift und uns.*

*Erinnrung malt mir meinen Bruder nur,*
*dich aber baut sie mir im Herzen aus.*
*Noch bleicher macht mich, daß ich dies erfuhr,*

*doch ruhiger ist die Schuld. Du reiftest aus,*
*sie abzuzahlen; er zahlte bitterlicher.*
*Wer alt verstirbt, dem wird kaum Vorwurf draus.*

*Ein Heimgesuchter, um so leichter wich er*
*Notwendigem, mag es auch hart erscheinen,*
*ist nur das Wahre vor den Sinnen sicher.*

*Doch wer, als Toten, würde nicht beweinen*
*den teuren Vater, nie mehr ihn zu sehen,*
*den zahllos oder oft geschauten Einen?*

*Von unsern tiefen Schmerzen, unsern Wehen*
*erfährt ein jeder je nach seiner Weise:*
*Du weißt es, Herr, wie sie an mir geschehen.*

*Und stimmt die Seele zu und beugt sich leise,*
*so wird erst recht so viel ihr aufgeladen,*
*daß sie am Schluß sich leidender erweise.*

*Dächt ich nicht immer weiter den geraden*
*Gedanken fort, daß der im Himmel lache,*
*der gut hindurchstirbt, durch des Todes Schaden*

*mein Leiden wüchse: wenn nicht eine schwache*
*Mäßigung ihm die Glaubensgründe böten,*
*daß, wer gut lebt, im Tod sichs besser mache.*

*Es ist der Geist uns von des Fleisches Nöten*
*so eingezwängt, daß Sterben uns mißfällt*
*je mehr sie Falsches über ihn erhöhten.*

*Zu neunzig Malen ist die Sonnenwelt*
*gesichthaft hell ins weiche Meer gerollt,*
*eh du dem Frieden Gottes dich gesellt.*

*Nun dir der Himmel nahm, was in uns tollt,*
*sei ich dir leid, der ich, tot, lebend bleibe,*
*da er durch dich mich hier gezeugt gewollt.*

*Du wurdest göttlich bei verstorbnem Leibe*
*und fürchtest nicht mehr, Wandel zu erfahren*
*an Sein und Willen. Wie ichs neidisch schreibe.*

*Geschick und Zeit, die uns die Bringer waren*
*von zweifelhafter Lust und sichrem Leide,*
*beschreiten nicht die Schwelle von euch Klaren.*

*Das ist nicht Wolke, die vom Licht euch scheide,*
*getrennte Stunden tun euch nicht Gewalt,*
*Notwendigkeit und Zufall schweigen beide.*

*Nicht wird durch Nächte euer Glänzen kalt,*
*noch nimmt es zu in seinem eignen Schein,*
*wenn hier die Sonne ihre Kräfte ballt.*

*In deinem Sterben lern ich sterben, mein*
*teuerer Vater, dich im Geiste fassend*
*dort, wo es uns nur selten glückt zu sein.*

*Man hat nicht recht, den Tod als Ärgstes hassend,*
*erscheint man nur vorm Thron, der Gnade oben*
*den letzten Tag als ersten überlassend.*

*Dorthin vermut ich dich hinweggehoben*
*und hoff dich dort zu sehen, wenn mein kaltes*
*Herz mir den Sinn zieht aus dem Schlamm der Proben.*

*Und wenn dort, mit dem Wachsen jedes Haltes,*
*Die Liebe zwischen Sohn und Vater wächst,*
. . . . . . . . . . . . . . . . . .

(Übersetzung: Rainer Maria Rilke) [92]

# DAS JÜNGSTE GERICHT

Bei Dante treibt Charon die Verdammten in seinen Kahn:

> Sie fluchten Gott und denen, die sie zeugten,
> dem menschlichen Geschlecht, dem Vaterland,
> dem ersten Licht, den Brüsten, die sie säugten.
> Dann drängten sie zusammen sich am Strand,
> dem schrecklichen, zu welchem alle kommen,
> die Gott nicht scheun, und laut Geheul entstand.
> Charon, mit Augen, die wie Kohlen glommen,
> winkt ihnen, und schlug mit dem Ruder los,
> wenn einer sich zum Warten Zeit genommen.
> Gleich wie im Herbste bei des Nordwinds Stoß
> ein Blatt zum andern fällt, bis daß sie alle
> der Baum erstattet hat dem Erdenschoß;
> so stürzen, hergewinkt, in jähem Falle
> sich Adams schlechte Sprossen in den Kahn,
> wie angelockte Vögel in die Falle.
>
> (Übersetzung: Karl Streckfuß)

Michelangelo setzt in seinem *Jüngsten Gericht* Dantes Erzählung fort. Charon treibt, den Kahn kippend, die Verdammten an das Höllengestade des Acheron. Hier stürzt die kreisende Bewegung der Leiber, die sich wie Wolken gewittrig zusammenballen und wieder entladen, in die Tiefen des Infernos.

Michelangelo begann das Fresko an der Altarwand der Sixtinischen Kapelle im Jahre 1534. Am ersten Weihnachtstag 1541, nach sieben Jahren, wurde es enthüllt. Der Plan ging auf Klemens VII. zurück, der zum erstenmal darüber sprach, als Michelangelo 1532 wegen der Verhandlungen über das *Julius-Grabmal* in Rom war. Paul III., Klemens' Nachfolger, griff die Idee sofort nach Antritt seines Pontifikats wieder auf. Widerwillig machte sich Michelangelo an das Riesenwerk.

Er war seit 1532 mehrmals in Rom gewesen, um dort am *Julius-Grabmal* zu arbeiten, vielleicht auch, um Klemens um Schutz vor Alessandro zu bitten. Man ist auf Vermutungen angewiesen, weil Quellen über die Anlässe zu seinen Romfahrten fehlen. Zum letztenmal erreichte er die Heilige Stadt zwei Tage vor Klemens' Tod. Er blieb in Rom, da er sich ohne den Rückhalt des Papstes nicht in den Herrschaftsbereich Alessandros zurückwagen konnte.

Aus der Hoffnung, sich nun ganz dem Julius-Monument widmen zu können, riß ihn der päpstliche Befehl, das Fresko zu malen. Die harte Auseinandersetzung zwischen Künstler und Papst wiederholte sich nicht; Paul III. verstand es, Michelangelo eine gute Arbeitsatmosphäre zu verschaffen. Das *Jüngste Gericht* war nur ein Teil einer größeren Aufgabe. Auch die Eingangswand der Sixtinischen Kapelle sollte ein Fresko von Michelangelos Hand tragen: Luzifers Sturz.

*Charon. Aus dem Jüngsten Gericht. Rom, Vatikan, Cappella Sistina*

*Pietro Aretino. Stich von Gian Jacopo Caraglio*

Dazu kam es nicht, weil Paul III. später die Paulinische Kapelle von Michelangelo ausmalen ließ.

Nach den zermürbenden Florentiner Jahren fand er endlich äußere Ruhe und Arbeitsfrieden und einen Freundeskreis, der ihm Heiterkeit schenkte. Eine seltene Gelöstheit entspannte ihn. Sie fand ihren Niederschlag in leichten, amourösen Versen:

*Ich habe dir gekauft, recht teuer zwar,*
*ein Gran von einem guten Weißnichtwas.*
*Leicht find' ich dich, trägst du den Duft im Haar.*
*So folg' ich dir, wo du auch seist, fürbaß*
*an jeden Ort und jedes Zweifels bar.*
*Verbirgst du dich, verzeih' ich's dir als Spaß.*
*Du magst nur immer hübsch es bei dir tragen,*
*dann kann ich, wo du bist, stets blind dir sagen.*[93]

In Rom begann die Freundschaft mit Tommaso Cavalieri, den er mit einem Überschwang des Gefühls verehrte, der uns heute fremd bleibt, wenn wir ihn nicht von seiner Zeit her, vom dolce stil nuovo, empfinden. Tolnay schreibt: «Seine Liebe war keusch. Es war die religiöse Anbetung der Schönheit als einer göttlichen Idee in menschlicher Gestalt, die mystische Verehrung Gottes im Fleisch.»

Und Michelangelo selbst spricht in einem Sonett an Cavalieri von *keuscher Liebe*. Wer ihn wegen dieser Liebe des griechischen Lasters zeiht, dem können Michelangelos eigene Worte gelten, die er einem Kardinal über einen Testamentsvollstrecker Julius' II. als Antwort auf Vorwürfe anderer Art schrieb. *Er hat sich in seinem Herzen einen Michelangelo aus dem gleichen Teig gebacken, wie er ihn selbst darinnen hat.*[94]

Als Michelangelo bereits drei Jahre am *Jüngsten Gericht* arbeitete, wandte sich Pietro Aretino mit einigen Vorschlägen zur malerischen Ausgestaltung des Themas an ihn. Er verband die Belehrung mit der Bitte um irgendein Werk des Künstlers und verpackte diesen Wunsch, wie üblich, in Schmeicheleien. Michelangelo fertigte ihn mit feinem Spott ab:

*Erlauchter Messer Aretino, mein Herr und Bruder.*

*Als ich Euren Brief empfing, habe ich Freude und Schmerz zugleich empfunden. Ich habe mich so besonders gefreut, weil er von Euch kam, da Ihr an virtù einzig seid auf der Welt. Und doch bin ich auch recht betrübt, weil ich bereits einen großen Teil meines Gemäldes fertiggestellt habe, so daß ich Eure Idee nicht mehr verwirklichen kann, obwohl sie so beschaffen ist, daß Eure Worte den Tag des Jüngsten Gerichts, wäre er bereits angebrochen und hättet Ihr ihn miterlebt, nicht besser hätten beschreiben können. Nun zu Eurem Vorschlag, über mich zu schreiben. Da antworte ich Euch, daß mir das nicht nur sehr lieb wäre, sondern ich Euch dringend darum bitte. Denn selbst Könige und Kaiser rechnen es sich ja zur höchsten Ehre an, von Eurer Feder genannt zu werden. Inzwischen biete ich Euch an, was Euch von meinen Werken gefallen sollte. Schließlich: ändert nicht etwa Euren Entschluß, Rom zu meiden, nur um das Gemälde, an dem ich arbeite, zu sehen. Das wäre zu viel der Ehre. Ich empfehle mich Euch.*

*Michel'Agnolo Buonarroti.*[95]

«Könige gibt es genug in dieser Welt» und «Ihr stellt Phidias, Apelles und Vitruvius in den Schatten» hatte Aretino mit geheucheltem Begeisterung geschrieben. Michelangelo zahlte mit einer Münze von besserer Valuta zurück: *Ihr seid an virtù einzig in der Welt.*

Virtù läßt sich schwer übersetzen. Sie war in der Renaissance der Inbegriff aller männlichen Tugenden, sie umfaßte Tüchtigkeit, Geist und Kunstverstand. Dieses Lob ist so übertrieben, daß es deutlich als böse Ironie auf Aretino wirken mußte. Aufschlußreich ist Michelangelos Unterschrift. Er trennt Rufnamen in Michel und Agnolo, das heißt, er unterschreibt als der Engel Michel. Aretino hatte genug Verstand, um darin einen Hinweis auf den Erzengel Michael zu erkennen.

Mit diesem Brief vom November 1537 war das Thema für Michelangelo abgehandelt, für Aretino nicht. Jahrelang bat, bettelte, schmeichelte und drohte er in Briefen und durch Mittelsmänner, um ein Geschenk zu erhalten. Michelangelo ließ ihm schließlich irgendein unbedeutendes Blatt schicken. Die Zeichnung war Aretino zu gering. Er bat um etwas anderes, Besseres. Michelangelo schwieg. Aretino drohte auf dem Umweg über Benvenuto Cellini, daß seine Liebe in Haß umschlagen könnte. Michelangelo rührte sich nicht. Acht Jahre waren seit Michelangelos Brief vergangen, als Aretino die Geduld verlor und jenen verleumderischen Schmähbrief schrieb, der Michelangelo vor Rom und der Welt herabsetzte und ihn sogar persönlich gefährdete, da die Inquisition in Italien bedrohlicher tätig geworden war. Michelangelo habe, so schrieb er, die Verletzung der Schamhaftigkeit im *Jüngsten Gericht* zu einem Schauspiel arrangiert, das man selbst in übelbeleumdeten Häusern nur mit abgewandten Blicken zu betrachten wage. Es gehöre in ein üppiges Badezimmer, nicht in den Chor einer Kapelle. Aber der Himmel werde nicht zulassen, daß das «Wunderwerk» unbestraft bliebe. Dann erinnerte er Michelangelo an das Versprechen, ihm eine künstlerische Arbeit zu schicken, und fuhr fort, es wäre besser gewesen, dieses Versprechen zu erfüllen, wenn auch nur, um den bösen Zungen Schweigen zu gebieten, die da behaupten, nur junge Männer wie Tommaso Cavalieri und Gherardo Perini wüßten Gefälligkeiten aus Michelangelo herauszulokken. Aber freilich, wenn die Haufen Goldes, die Papst Julius dem Bildhauer hinterlassen habe, diesen nicht veranlassen konnten, seinen Verpflichtungen nachzukommen: worauf könnte da ein Mann wie Aretino rechnen. In einem Postskriptum bemerkte er: «Wenn Ihr göttlich [devino, di vino, von Wein] seid, so bin doch auch ich nicht von Wasser.»

Da Aretino seine berüchtigten Episteln als eine Art Rundschreiben zu publizieren pflegte, war jeder Angriff zugleich eine gefährliche öffentliche Attacke. Michelangelo ließ die Verleumdungen unbeantwortet. Er ging erst in Condivis Biographie darauf ein. Doch haben sich bis heute einige von ihnen aufrechterhalten. Besonders die Behauptung, er sei dem griechischen Laster verfallen gewesen, ist durch die Jahrhunderte von Buch zu Buch weitergereicht worden. Als Beweis für ihre Richtigkeit werden vor allem die Gedichte an Tommaso Cavalieri angeführt. Man vergißt dabei nur, daß Michelangelo seit seiner Jugend ein echter und leidenschaftlicher Platoniker war. Der Neuplatonismus hatte den Geist des mediceischen Familiare und Kunstadepten so stark geprägt, daß er von kategorialer Kraft für sein Denken wurde. Die Schönheit war ihm Ausdruck und Abbild der Wahrheit. So wenig die Gestalten der nackten Jünglinge an der Decke der Sixtinischen Kapelle, so wenig der *Bacchus* oder der *David* beweiskräftig für eine päderastische Neigung sind, so gering sind als Argumente auch die an Tommaso Cavalieri adressier-

*Vittoria Colonna. Zeitgenössische Medaille*

ten Verse zu werten. Viele Gedichte Michelangelos, deren Empfänger nach herrschender Meinung Cavalieri sein soll, waren keinesfalls an ihn gerichtet. Der Gebrauch der Vokabel *Signior* (Herr) in Liebesgedichten wird oft falsch gedeutet. Seit Dante und Petrarca dient dieses Wort als Anrede Gottes und Amors. Daneben sprachen die Dichter, insbesondere Angelo Poliziano, mit Signior auch die donna amata, die geliebte Frau, an. Michelangelo folgte dieser Übung.

Außer den Bemerkungen bei Condivi gibt es noch eine persönliche Stellungnahme Michelangelos zu dem Thema. In seiner kritischen Ausgabe der Briefe hat Milanesi ein Schreiben publiziert, das bisher wenig beachtet wurde, das aber in diesem Zusammenhang wichtig ist. Michelangelo beschwert sich darin über die aufdringliche Art eines Mannes, der ihm seinen Sohn als Lehrbuben aufschwatzen wollte. Der Brief stammt aus der Zeit, als Michelangelo für die Fassade von

San Lorenzo tätig war und ist an einen Bekannten gerichtet, über dessen Person wir heute nichts mehr wissen:

*Niccolò,*

*ich konnte Euch gestern abend am Canto de' Bischeri keine klare Antwort geben, wie ich es vorhatte, weil der, für den Ihr Euch bei mir verwendet habt, dabei war, und Ihr ihm vielleicht irgendwelche Hoffnungen bezüglich der Wünsche gemacht hattet, deren Erfüllung er von mir begehrte; so fürchtete ich eben, Euch zu beschämen. Und obgleich ich mich mehrmals weigerte, sagte ich doch nicht klipp und klar, was ich Euch unter vier Augen gesagt haben würde. Nun lasse ich es Euch durch diesen Brief wissen. Es geht darum, daß ich aus einem bestimmten Grunde keinen Lehrburschen annehmen kann, schon gar nicht, wenn er von auswärts ist. Darum sagte ich Euch, ich wäre in den nächsten zwei oder drei Monaten nicht in der Lage, etwas zu tun, damit er disponieren könnte, das heißt, damit Euer Freund seinen Sohn nicht in der Hoffnung auf mich hierließ. Er aber begriff es nicht, sondern antwortete, daß ich ihn, wenn ich ihn sähe und nicht ins Atelier nähme, ins Bett schleppen würde. Ich sage Euch, daß ich auf diese Tröstung gern verzichte und sie ihm nicht nehmen will. Deshalb möget Ihr ihm, was mich betrifft, absagen. Ich nehme an, Ihr werdet es schon so zu erledigen wissen, daß er sich damit zufrieden gibt. Euch empfehle ich mich.*[96]

Der Brief führt eine klare Sprache und sollte genügen, um Aretinos Schmähung als verleumderisch zu erweisen. Vielleicht hätte Michelangelo nicht schweigen, sondern dem berüchtigten Pamphletisten mit einer Satire antworten sollen, wie er sie Papst Klemens VII. lieferte, als dieser mit dem grotesken Plan des Kolosses an ihn herantrat.

Die glücklichste Freundschaft verband ihn in diesen Jahren mit Vittoria Colonna, die er 1536 kennenlernte. Das Geschlecht der Colonna war eines der angesehensten in Italien. Vittorias Vater Fabrizio war ein berühmter Condottiere, sie selbst die Gemahlin des Feldherrn Ferdinando Francesco d'Avalos, dem Karl V. viele Siege zu verdanken hatte. Avalos schlug 1525 die Franzosen bei Pavia und gewann dem deutschen Kaiser durch diesen Sieg die Vorherrschaft über Italien. Er starb im gleichen Jahr. Vittoria lebte als Witwe sehr zurückgezogen und verbrachte ihre Tage außer in Rom abwechselnd in Viterbo, Orvieto oder auf der Insel Ischia. Dichter, Gelehrte und Künstler waren ihr täglicher Umgang. Ihre Freundschaft mit Michelangelo hat sie unsterblich gemacht. Ihre Gedichte fanden bis ins 19. Jahrhundert durch die Literaturwissenschaft größere Anerkennung als die Verse Michelangelos, die bis dahin nur in der zurechtgestutzten Ausgabe des Großneffen bekannt waren. Viele Briefe und Gedichte Michelangelos, auch die von Francesco de Hollanda aufgezeichneten Gespräche, sind unvergängliche Zeugnisse der einzigartigen menschlichen Beziehung zwischen den beiden edlen Naturen. Um 1540 schreibt Michelangelo an Vittoria Colonna:

*Frau Marchesa.*

*Da ich in Rom bin, wäre es nicht nötig gewesen, den Auftrag über das Kruzifix Messer Tommaso* (Cavalieri) *zu hinterlassen und ihn zum Mittler zwischen Eurer Herrlichkeit und mir, Eurem Knecht, zu machen, damit ich Euch zu Diensten sei, vor allem da ich den Wunsch hege, mehr für Euch zu tun als für irgendeinen Menschen, den ich je auf dieser Welt gekannt habe. Die große Arbeit* (Das Jüngste Gericht)*, in der ich gesteckt habe und noch stecke, hat Eure Herrlichkeit das nicht erkennen lassen. Und da es Euch, wie ich weiß, bekannt ist, daß Liebe keinen Antreiber braucht und ein Liebender nicht schläft, hätte es um so weniger eines Mittelsmannes bedurft. Hatte es auch den Anschein, als erinnerte ich mich an nichts, so handelte ich doch, ohne darüber zu reden, um mit einer unerwarteten Gabe zu überraschen. Mein Vorhaben ist mißlungen: «Der tut nicht recht, der solche Treue schnell vergißt.»*

*Euer Herrlichkeit Diener*
*Michelagniolo in Rom.*[97]

Michelangelo möchte ein Kruzifix für sie arbeiten. Er schickte ihr eine Zeichnung, zusammen mit einem Sonett.

*Die du mein Schicksal mir zuletzt versüßest,*
*mein Herz, zum Tode alt, festhältst im Leben,*
*und unter Tausenden, die dir ergeben,*
*und die so hoch stehn, mich allein nur grüßest:*

*Glücksel'ger Geist! jetzt meinem Aug' entschwunden,*
*nahst du dich tröstend dennoch meinem Herzen,*
*und mit der Hoffnung linderst du die Schmerzen,*
*die mit gewalt'ger Sehnsucht mich verwunden.*

*Dir schreib' ich für die Gnade Dank zu senden,*
*die in Dir für mich redet, mich, den hier*
*die Sorgen quälend im Gefängnis halten.*

*Welch ein Gewinn! Du nimmst von meinen Händen*
*so schlecht gemaltes Werk, und gibst dafür*
*mir deines Geistes herrliche Gestalten.*

(Übersetzung: Herman Grimm) [98]

Wenn die Marchesa di Pescara in Rom war, pflegte sie sich mit Michelangelo auf dem Quirinal zu treffen. Dort lag neben dem Eingang zum Park der Colonna die kleine Klosterkirche San Silvestro in Monte Cavallo, die dem Dominikanerorden gehörte. In ihrem Klosterhof, der mehr ein Garten zu nennen war, trafen sich die beiden von Zeit zu Zeit, um Tagesereignisse zu besprechen oder über Kunst und Literatur zu diskutieren. Oft fanden diese Gespräche im Kreis von Freunden und Bekannten statt. Einer dieser Gesellschafter wurde

*Michelangelo in späteren Jahren. Miniatur von Francesco de Hollanda*

disegnia antonio disegnia antonio
disegnia e nõ pder tẽpo

Michelangelos Eckermann: Francesco de Hollanda, ein junger portugiesischer Miniaturenmaler, der von seinem König nach Italien geschickt worden war, um alte und neue Kunst zu studieren. Die von Hollanda überlieferten Gespräche haben die Malerei zum Thema, das heißt nach dem Sprachgebrauch Michelangelos: Malerei, Bildhauerkunst und Architektur; denn er faßte die bildenden Künste unter diesem Oberbegriff zusammen. Grundlage aller Malerei war ihm das Zeichnen. Er folgte darin seinem Vorbild Donatello, dessen Unterricht nur einen Lehrsatz kannte und dessen Anweisungen an die Schüler aus einem einzigen Satz bestand: «Schüler, die ganze Bildhauerkunst liefere ich euch aus, wenn ich euch sage: Zeichnet!»

Von Michelangelo sind ähnliche Worte überliefert. Er richtete sie an seinen Hausgesellen Antonio Mini: *Zeichne, Antonio, zeichne, Antonio, zeichne und verlier keine Zeit!* [99]

In dem Hollanda-Gespräch sagt Michelangelo: *Das Zeichnen, das man mit einem anderen Wort auch Entwerfen nennt, ist Quell und Inbegriff der Malerei, der Bildhauerei, der Baukunst und jeder anderen Art des Malens. Es ist die Wurzel jeder Wissenschaft. Wer diese große Kunst beherrscht, möge erkennen, daß ihm eine unvergleichliche Macht untertan ist. Er wird Gestalten schaffen können, die größer sind als irgendein Turm dieser Welt. Er kann sie in Farben entwerfen oder auch aus einem Block herausmeißeln. Jede Mauer und jede Wand wird für seine weitgreifende Phantasie zu eng sein. Er kann nach altitalienischer Art mit allen Farbmischungen und Farbtönen, die dazu gehören, al fresco malen. Er wird in Öl in zarten Tönen mit mehr Wissen, Kühnheit und Geduld zu malen verstehen als die meisten Künstler. Endlich wird der Zeichner auch mit einem kleinen Stück Pergament so Vollkommenes und Bedeutendes wie in allen anderen Gestaltungsarten leisten ...*

Da sagte Lattanzio: «Ich möchte gern wissen, welcher Gegenstände sich diese so empfindliche und seltene Kunst bemächtigen soll. Soll man Turniere oder Schlachten malen, Könige und Kaiser in brokatenen Gewändern, wohlgekleidete Jungfrauen, Landschaften, Felder oder Städte? Oder soll vielleicht irgendein Engel oder Heiliger durch sie dargestellt werden? Soll man mit Gold oder Silber, mit feinen oder kräftigen Farben arbeiten?»

*So vielgestaltig, wie Ihr es eben beschreibt, ist die Aufgabe der Malerei nicht*, begann Michelangelo seine Unterweisung. *Die Malerei, die ich so sehr lobe und preise, soll nur irgend etwas von dem nachahmen, was der unsterbliche Gott mit großer Sorgfalt und Weisheit erfand, schuf und malte, sei es nun seinem Bilde ähnlich oder auch wie unvernünftiges Getier und Vögel von geringerer Schönheit. Da-*

*Skizzen zur Madonna Medici (?), die Antonio Mini als Vorlage dienten. Feder. Daneben verblichene Zeichnungen des Schülers in Rötel und Kohle. Rechts unten Michelangelos Anmerkung: Disegnia antonio disegnia antonio / disegnia e non perder tempo. London, British Museum*

*Brutus. Marmorbüste, um 1539. Florenz, Museo Nazionale*

*Die Kuppel von San Pietro in Rom mit der Rückfront der Basilika*

*Selbstbildnis des alten Michelangelo als Nikodemus.*
*Von der Pietà im Dom zu Florenz. Marmor, um 1548–55*

*bei soll sie nach der Vollkommenheit streben, die jedem Gegenstand angemessen ist. Nach meinem Urteil ist jene Malerei die vorzüglichste und göttlich zu nennen, die einem Werk des unsterblichen Gottes am meisten gleicht, mag es sich nun um eine menschliche Gestalt handeln, um ein ausländisches wildes Tier, um einen einfachen, leicht darzustellenden Fisch, um einen Vogel unter dem Himmel oder um irgendeine andere Kreatur. Alles dieses aber soll weder mit Gold oder Silber noch mit sehr feinen Farben gemalt, sondern allein mit Feder oder Stift gezeichnet oder mit dem Pinsel schwarz-weiß getuscht werden. Jeden dieser Gegenstände in seiner Art vollkommen zu zeichnen, das dünkt mich nichts anderes, als das Amt des unsterblichen Schöpfers verwalten. Und jenes Gemälde wird das edelste und vollkommenste sein, welches den großartigsten Gegenstand auf die vornehmste und weiseste Art entwirft.*

Ein Jahrzehnt währte die Freundschaft mit Vittoria. Dann setzte der Tod ihr ein Ende; Vittoria starb am 25. Februar 1547. Michelangelo hat es nie verwunden:

*Gib mir die Tage wieder, wo mein Lieben*
*und Sehnen ungebändigt in mir glühte,*
*gib jenes Engelsbild, das früh verblühte.*
*Was, da es schwand, ist dieser Welt geblieben?*

*Gib mir den Schritt, von Ungestüm getrieben,*
*dem brennenden, das lange nun verglühte,*
*die Flamme gib, die mir die Brust durchsprühte,*
*und dann noch einmal will ich seufzend lieben.*

*Du, Liebe, willst ja einzig von den süßen*
*und wehen Klagen Sterblicher dich nähren;*
*was kann ein Greis, ein müder, dir gewähren?*

*Die Ufer jenseits winken schon und grüßen.*
*Zeit ist es, daß zu andrem Liebesstreite,*
*zu schönrem, seine Seele sich bereite.*

(Übersetzung: Hermann Harrys) [100]

Vittoria starb kurz vor Michelangelos 72. Geburtstag. Drei Monate zuvor war sein Freund und Sachwalter Luigi del Riccio gestorben. Riccio war in seiner Selbstlosigkeit für Michelangelo unentbehrlich geworden, weil er die äußerst verwickelten und durch des Künstlers heftige Art oft unnötig verwirrten Geschäfte mit Ruhe und Sorgfalt erledigte. Während langer Krankheiten hatte er Michelangelo rührend und aufopfernd gepflegt. Michelangelo hörte auf seinen Rat. Riccio hatte bedeutenden Anteil an dem Abschluß der Grabmalstragödie durch den Vertrag von 1542. Der Künstler schätzte seinen Stil so sehr, daß er ihn auch gern um die Abfassung rein privater unwichtiger Schreiben bat, durch die nur der Höflichkeit genügt werden sollte:

*Mein teurer Messer Luigi,*
*da ich weiß, daß Ihr höflichen Umgangsformen ebenso meisterlich zugetan seid, wie ich ihnen abgeneigt gegenüberstehe, und da ich von Monsignore di Todi ein Geschenk erhalten habe, von dem Urbino Euch berichten wird, bitte ich Euch hiermit, da ich Euch für einen Freund Seiner Signoria halte, danket ihm, wenn es Euch genehm ist, in meinem Namen mit jener Höflichkeit, die Euch leicht, mir aber schwer fällt, und macht mich zum Schuldner irgendeines Kringels.*

Riccio war auch der kritische Lektor seiner Poesien, die er herausgeben wollte. Leider blieb dieser Plan in den Vorarbeiten stecken, wurde vielleicht auch aufgegeben, weil Riccio starb, denn er war die treibende Kraft dieses literarischen Unternehmens.

Anderthalb Jahrzehnte war der Bildhauer Michelangelo Maler. Nach dem *Jüngsten Gericht* schuf er die beiden Fresken in der Paulinischen Kapelle, die *Kreuzigung Petri* und die *Bekehrung Pauli.*

Schlegel und Meißel, Spitz- und Zahneisen waren nur noch die Werkzeuge seiner Mußestunden. Nach dem endgültigen Untergang der Freiheit von Florenz in der Schlacht von Montemurlo, die von den Truppen der Verbannten und den Franzosen gegen Cosimo I. und die kaiserlichen Kräfte verloren wurde, meißelte er auf Anregung Giannottis den *Brutus.* Diese Skulptur war zugleich eine Verherrlichung des Tyrannenmörders Lorenzino de' Medici, der den vertierten Herzog Alessandro umbrachte.

Der Rest seines Lebens gehörte der Architektur, der Kuppel von Sankt Peter. Paul III. hatte Michelangelo am 1. September 1535 zum Obersten Architekten, Bildhauer und Maler des Apostolischen Palastes ernannt, und zwar auf Lebenszeit, mit einem Jahresgehalt von 1200 Goldscudi. Am 1. Januar 1547 wurde er Präfekt und Erster Architekt von San Pietro. Papst Julius III. bestätigte diese Bestallung fünf Jahre später. Michelangelo bezeichnete sich als *esecutore* von Bramantes Plan. Außer Bramante hatten vor ihm Raffael, Peruzzi und Sangallo der Jüngere am Entwurf und Bau dieses Werkes mitgearbeitet. Burckhardt sagt von Michelangelos letztem Werk: «Die Kuppel Michelangelos, an Form und Höhe derjenigen der früheren Baupläne gewaltig überlegen, bietet vielleicht von außen die schönste und erhabenste Umrißlinie dar, die die Baukunst auf Erden erreicht hat.»

Der alte Meister, dessen Ruhm alle zeitgenössischen Künstler überstrahlte, erhielt eine Fülle architektonischer Aufträge. Er machte Entwürfe zum Kapitolsplatz und seinen Palästen, zum Palazzo Farnese, zur Porta Pia, zur Kirche der Florentiner und zu den Befestigungsbauten in Rom.

Seine drei letzten Marmorarbeiten sind die *Pietà* im Florentiner

*Die Pietà Rondanini. Marmor, 1555 begonnen. Mailand, Castello Sforzesco*

Dom, deren Nikodemus ein Selbstporträt des Achtzigjährigen ist, die *Pietà Palestrina* und die *Pietà Rondanini*. Die Leidensgruppen sind in der Wirkung auf den Betrachter den *Unvollendeten Sklaven* des *Julius-Grabmals* verwandt, sie sind «steingewordene Qual», die aus dem Marmor auftaucht wie aus dem Schattenreich der Ideen.

Michelangelo starb am 18. Februar 1564, einsam in seinem Ruhm, umgeben von seinen Ärzten, seinem Diener Antonio und den beiden Freunden Tommaso Cavalieri und Daniele da Volterra. Vier Tage vorher hatte er noch an der *Pietà Rondanini* gearbeitet. Sein Neffe Lionardo kam zu spät, weil der Alte immer grollte, wenn der letzte Buonarroti sich um ihn zu sehr bekümmerte.

Michelangelo wollte in Florenz begraben sein. Seine letzte Reise wurde wieder eine Flucht. Heimlich, in Leinwand eingenäht, mußte der Sarg aus Rom geschafft werden, weil man befürchtete, die Römer wollten des Meisters sterbliche Hülle in ihrer Stadt zu Grabe tragen.

So wurde Michelangelos letzter Wunsch, in der Heimat zu ruhen, erfüllt. Er wurde in der Kirche Santa Croce zu Florenz bestattet. Michelangelo ist als reicher Mann gestorben. Allein in seinem römischen Haus fand man an barem Geld in einer Kiste 8000 Golddukaten (etwa 800 000 DM). Wie hoch seine Bankguthaben waren, läßt sich heute nicht mehr feststellen. Der Grundbesitz, den er hinterließ, war gleichfalls ein Vermögen wert. Er hat seinen Reichtum nie beachtet. Er hat, bis auf wenige Jünglingsjahre, wie ein armer Handwerker gelebt.

# ANMERKUNGEN

1 Gaetano Milanesi: Le lettere ... Florenz 1875. LXXX
2 Romain Rolland: Das Leben Michelangelos. Frankfurt a. M. 1922. S. 17 f
3 Milanesi, a. a. O., CXCV
4 Heinrich Koch: Michelangelo. Briefe, Gedichte, Gespräche. Frankfurt a. M. (Fischer Bücherei 169) S. 13
5 Karl Frey: Die Briefe ... Berlin 1907. S. 328
6 Wilhelm Lange-Eichbaum: Genie, Irrsinn und Ruhm. Eine Pathographie des Genies. 4. Aufl. München 1956. S. 385 f
7 Gottfried Benn: Essays. Wiesbaden 1951. S. 91 f
8 Karl Frey: Die Dichtungen ... Berlin 1897. LXXXI. (Für die Übersetzung der 1., 10., 11., 14. und 15. Terzine wurde auf Henry Thode: Gedichte. Berlin 1914. S. 42 f, zurückgegriffen.
9 Karl Frey: Le vite ... Berlin 1894. S. 255
10 Karl Frey: Quellen und Forschungen ... Berlin 1907. I, S. 3
11 Milanesi, a. a. O., CXXII
12 Milanesi, a. a. O., XL
13 Frey, Le vite, a. a. O., S. 13
14 Vespasiano (da Bisticci) Fiorentino: Le vite de' uomini illustri del sec. XV. ed. Frati. Bologna 1892–1895. Niccoli V. § 10
15 Platon, Siebenter Brief, 11. (341 c). Siehe: Platon, Sämtliche Werke. Bd. 1. Reinbek [8]1965. S. 317 (Rowohlts Klassiker. 1/1a)
16 Rolland, a. a. O., S. 30
17 Francesco de Hollanda: Vier Gespräche ... Wien 1899. S. 100 f
18 Milanesi, a. a. O., CCCXLII
19 So Charles de Tolnay: Michelangelo. Bd. 1: The Youth of Michelangelo. Princeton 1938–1960. S. 227 f. – Die Frage, welche der Statuetten von Michelangelos Hand stamme oder nur von ihm überarbeitet worden sei, konnte bis heute nicht eindeutig beantwortet werden. Einige Forscher halten alle vier Statuetten für Arbeiten Michelangelos, so u. a. Henry Thode: Michelangelo. Kritische Untersuchungen ... Berlin 1908–1913. I, S. 67 f, und A. Venturi: Storia dell'Arte Italiana, X, 2. Mailand 1936. S. 27 f. Gegenteiliger Ansicht sind P. Rossi: Rassegna d'arte Senese, VII (1911), S. 11 f; A. Rota: Michelangelo e il Monte della Fede in: Archivi d'Italia e Rassegna internazionale degli Archivi, IV (1937), S. 27 f; J. Wilde: Eine Studie Michelangelos nach der Antike in: Mitt. d. Inst. f. österr. Geschichtsf. 3 (1882), S. 408 f; H. Wölfflin: Die Jugendwerke des Michelangelo. München 1891. S. 77 f. F. Kriegbaum: Die Bildwerke. Berlin 1940. S. 43, hält «Petrus» und «Paulus» für eigenhändige Arbeiten. Der gleichen Ansicht ist Prof. Gramberg, Hamburg, dem der Autor für die kritische Durchsicht des Manuskripts zu großem Dank verpflichtet ist. Der Auftrag wurde nicht von Pius II., sondern von dem Kardinal Francesco Tedeschini-Piccolomini, dem späteren Pius III., erteilt. Der sechsundachtzigjährige Michelangelo hat die beiden Päpste in der Erinnerung miteinander verwechselt.
20 Milanesi, a. a. O., CCCXXXI
21 Milanesi, a. a. O., S. 613 f
22 Milanesi, a. a. O., I
23 Milanesi, a. a. O., XLVI
24 So auch Hans von Hülsen: Römische Funde. Göttingen 1960. S. 17 f
25 Milanesi, a. a. O., III
26 Milanesi, a. a. O., CCCLXXXIII, CCCXLIV
27 Milanesi, a. a. O., CCCXLIII
28 Milanesi, a. a. O., CCCLXXXIII
29 Milanesi, a. a. O., XLVIII, XLIX
30 Milanesi, a. a. O., IV, LII, LV

31 Milanesi, a. a. O., CXXIV, CXXV, LXI
32 Milanesi, a. a. O., LXII
33 Milanesi, a. a. O., LXIII, LXIV, LXVIII
34 Milanesi, a. a. O., LXXII
35 Frey, Die Dichtungen, a. a. O., VII
36 Milanesi, a. a. O., LXXV
37 Frey, Die Dichtungen, a. a. O., LXXXV
38 Frey, Die Dichtungen, a. a. O., LXXX, 2
39 Frey, Die Dichtungen, a. a. O., XLII, XLI, LI
40 Frey, Die Dichtungen, a. a. O., XXV
41 Wolf Maurenbrecher: Die Aufzeichnungen ... Leipzig 1938. S. 5
42 Milanesi, a. a. O., CCCXLIV, CDLXII
43 Milanesi, a. a. O., S. 563
44 Milanesi, a. a. O., X
45 Milanesi, a. a. O., XVIII
46 Milanesi, a. a. O., CXXVII
47 Milanesi, a. a. O., LXXX
48 Frey, Die Dichtungen, a. a. O., IX
49 Milanesi, a. a. O., LXXXI
50 Milanesi, a. a. O., XXII
51 Milanesi, a. a. O., IX
52 Milanesi, a. a. O., XVIII
53 Milanesi, a. a. O., LXXXV
54 Milanesi, a. a. O., XC
55 Milanesi, a. a. O., XCI
56 Milanesi, a. a. O., XXXVII
57 Milanesi, a. a. O., XXXVI
58 Frey, Die Dichtungen, a. a. O., X
59 Frey, Die Dichtungen, a. a. O., LXIX
60 Aeneis Lib. VI., 10
61 Milanesi, a. a. O., CDXC
62 A. E. Brinckmann: Michelangelo, Sistina-Köpfe. Berlin 1936. S. 16
63 Milanesi, a. a. O., XV
64 Milanesi, a. a. O., CCCXLV
65 Milanesi, a. a. O., S. 636 f
66 Milanesi, a. a. O., XCII
67 Milanesi, a. a. O., CVII
68 Milanesi, a. a. O., CCCXLVIII
69 Milanesi, a. a. O., S. 581
70 Milanesi, a. a. O., CXVI, CXIV, CXIX, CXVI
71 Milanesi, a. a. O., CXVI, CXVIII, CXIX
72 Milanesi, a. a. O., CCCLVI
73 Frey, Die Dichtungen, a. a. O., XVII
74 Frey, Die Dichtungen, a. a. O., XVII
75 Frey, Die Dichtungen, a. a. O., LXXIII, 8
76 Frey, Die Dichtungen, a. a. O., XVIII
77 Maurenbrecher, a. a. O., S. 93 f und Taf. 13
78 Hans Mackowsky: Michelagniolo. Stuttgart 1947. S. 232
79 Frey, Quellen, a. a. O., I, S. 16
80 Michel de Montaigne: Essais, II, 28
81 Plutarch: Römische Heldenleben. Hg. Wilhelm Ax. Stuttgart 1943. S. 35
82 Milanesi, a. a. O., CDVI
83 Milanesi, a. a. O., S. 601 f
84 Milanesi, a. a. O., S. 601 f
85 Frey, Die Dichtungen, a. a. O., CIX, 16
86 Frey, Die Dichtungen, a. a. O., CIX, 17
87 Milanesi, a. a. O., CCCLXXXI
88 Rolland, a. a. O., S. 18
89 Milanesi, a. a. O., CCCXCIX
90 Frey, Die Dichtungen, a. a. O., XXXV
91 Milanesi, a. a. O., CDXXXV
92 Frey, Die Dichtungen, a. a. O., LVIII
93 Frey, Die Dichtungen, a. a. O., LVI
94 Milanesi, a. a. O., CDXXXV
95 Milanesi, a. a. O., CDXXI
96 Milanesi, a. a. O., CCCLIII
97 Milanesi, a. a. O., CDLV
98 Frey, Die Dichtungen, a. a. O., LXXXVIII
99 Hollanda, a. a. O., S. 59. – Bemerkung auf einer Schülerzeichnung, London, British Museum; Abb.: Tolnay. Michelangelo. Bd. 3: The Medici Chapel, a. a. O., Nr. 128
100 Frey, Die Dichtungen, a. a. O., CXIX

# ZEITTAFEL

| | |
|---|---|
| 1475 | 6. März: Michelangelo wird in Caprese geboren. Er ist der zweite Sohn des Lodovico di Lionardo di Buonarroti Simoni (geb. 11. Juni 1444) und der Francesca di Neri di Miniato del Sera (geb. 1456). Eheschließung der Eltern 16. Januar 1472. Der ältere Bruder Lionardo wurde am 16. November 1473 geboren.<br>8. März: Michelangeló wird in der Kirche San Giovanni zu Caprese getauft.<br>Michelangelo wächst in Settignano auf; seine Amme ist die Frau eines Steinmetzen. Später lebt er auf einem kleinen väterlichen Gut, dann in einem Mietshaus der Via de' Bentaccordi in Florenz. Das Haus gehört dem Färber Filippo di Tommaso di Narduccio, der mit Lodovicos Schwester Selvaggia verheiratet ist. Lodovico lebt in Wohngemeinschaft mit seiner Mutter Alessandra Brunacci (1410–94), seinem Bruder Francesco (geb. 14. Oktober 1434) und dessen zweiter Frau Cassandra Bartoli (geb. 1455). |
| 1477 | 26. Mai: Lodovicos dritter Sohn Buonarroto wird geboren. |
| 1479 | 11. März: Lodovicos vierter Sohn Giovansimone wird geboren. |
| 1481 | 22. Januar: Lodovicos fünfter Sohn Gismondo wird geboren. Anfang Dezember: Die Mutter stirbt. 6. Dezember: Die Mutter wird beerdigt.<br>In diesem Jahr wird Matteo, der sechste Sohn, geboren. Vielleicht ist Michelangelos Mutter bei seiner Geburt im Kindbett gestorben. Im anderen Falle wäre er der Sohn von Lodovicos zweiter Frau und erst 1486 geboren. |
| 1482(?) | Michelangelo wird in die Lateinschule des Francesco da Urbino aufgenommen. |
| 1485 | Eheschließung Lodovicos mit Lucrezia di Antonio do Sandro Ubaldini da Gagliano (geb. 1440?). |
| 1488 | 1. April: Abschluß des Lehrvertrages für Michelangelo zwischen dem Vater und den Brüdern Domenico und Davide Ghirlandaio auf drei Jahre. |
| 1489 | Michelangelo scheidet vorzeitig aus der Lehrwerkstatt Ghirlandaios aus und tritt in die Kunstschule Lorenzos de' Medici ein, deren Leiter Bertoldo di Giovanni ist. |
| 1490(?) | «Faunskopf», Marmor, verschollen. |
| 1490–1492 | Michelangelo lebt als Familiare Lorenzos de' Medici im Stadtpalast. |
| 1490–1492(?) | *Madonna an der Treppe.* Flachrelief, Marmor. Florenz, Casa Buonarroti. |
| 1491(?) | Michelangelo beginnt in der Totenkammer des Konvents von Santo Spirito mit der Erlaubnis des Priors Fra Nicholaio di Giovanni seine anatomischen Studien. |
| 1492 | *Kampf der Kentauren und Lapithen.* Hochrelief, Marmor. Florenz, Casa Buonarroti.<br>9. April: Lorenzo de' Medici stirbt. Michelangelo verläßt den Medici-Palast und kehrt ins väterliche Haus zurück. Er beginnt eine überlebensgroße Herkules-Statue, die er bis 1494 beendet. Ursprünglich im Besitz der Familie Strozzi, wurde sie 1529 an den französischen König Franz I. verkauft und im |

Jardin de l'Estang von Fontainebleau aufgestellt. (Von dort ist sie seit 1713 verschwunden.)
Von April bis November arbeitet er als Geschenk für den Prior Fra Nicholaio ein Holzkruzifix, das ebenfalls verschollen ist.

1494 Januar: Michelangelo zieht zu Pietro II. de' Medici in den Stadtpalast zurück.
Mitte Oktober verläßt er vor den heranziehenden französischen Truppen und vor der wachsenden Medici-Gegnerschaft Florenz, geht über Bologna nach Venedig und wieder zurück nach Bologna. Die Medici werden aus Florenz verbannt. In Bologna lebt er als Gast im Hause des Gianfrancesco Aldovrandi. In seinem Auftrag meißelt er drei Statuetten: *Heiliger Petronius, Heiliger Proculus, Leuchtertragender Engel,* Marmor. Bologna. San Domenico, Grabmal des heiligen Dominikus.

1495 Frühjahr: Rückkehr nach Florenz. Er arbeitet für Lorenzo di Pierfrancesco de' Medici einen San Giovannino in Marmor (verschollen). Ebenfalls verschollen ist der *Schlafende Cupido,* der Anlaß zur ersten Romreise wird.

1496 25. Juni: Ankunft in Rom. Förderung durch Kardinal Riario und durch den Bankier Jacopo Galli, für den er zwei Skulpturen meißelt:

1497 *Cupido* (*Apollo?*), Marmor, verschollen. *Bacchus,* Marmor. Florenz, Bargello.
Ende Juni: Der Bruder Lionardo, Dominikanermönch, flieht aus Viterbo.
9. Juli: Beerdigung der Stiefmutter Lucrezia.

1498 Frühjahr: Michelangelo bricht in Carrara Marmor für die *Pietà.*
27. August: Vertrag über die *Pietà* für den Kardinal di San Dionisio.

1499 Vollendung der *Pietà,* Marmor. Rom, San Pietro.

1500 Michelangelo hört die Vorlesungen des Kopernikus über Mathematik und Astronomie.

1501 Frühjahr: Rückkehr nach Florenz.
5. Juni: Vertrag mit Kardinal Francesco Piccolomini (ab 1503: Papst Pius III.) über fünfzehn Figuren für den Piccolomini-Altar des Domes zu Siena. «Peter», «Paul», «Pius» und «Gregor» von Baccio da Montelupo, «Franziskus» von Pietro Torrigiani ausgeführt, nach Entwürfen Michelangelos. Vollendung bis 1504. Wie weit Michelangelo an Ausführung beteiligt, ist sehr umstritten.
16. August: Die Konsuln der Wollzunft und die Werkmeister der Dombauhütte beauftragen Michelangelo mit dem *David.*
13. September: Beginn der Arbeit am *David.* Vorher begonnen: *Mouscron-Madonna,* Marmor. Brügge, Notre-Dame.

1502 12. August: Auftrag zu einem Bronze-David für den französischen Marschall Pierre de Rohan.

1503 24. April: Auftrag der Konsuln der Wollzunft und der Dombauhütte über zwölf Apostelstatuen für den Dom. Gearbeitet wurde nur am *Matthäus,* Marmor, 1506. Florenz, Accademia delle Belle Arti. Begonnen (?) und 1504 (?) vollendet: *Madonna Doni,* Tempera. Florenz, Uffizien.

1504 April: *David* vollendet.
14.–18. Mai: Transport des *David* zum Palazzo della Signoria. (Seit 1873 in der Accademia delle Belle Arti.)
Oktober: Auftrag zum Karton für die *Schlacht von Cascina.*

1505 Februar: Karton vollendet
Die 1504 begonnene *Madonna Pitti* (Marmorrelief, Tondo. Florenz, Bargello) beendet (?).
*Madonna Taddei* (Marmorrelief, Tondo. London, Royal Academy of Fine Arts) 1506 vollendet.
März: Berufung nach Rom durch Papst Julius II. Erster Entwurf zum *Julius-Grabmal.* Carrara.
18. Dezember: Lösung des Vertrages über die zwölf Apostelstatuen für den Dom in Florenz.

1506 Januar: Michelangelo besichtigt mit Giuliano da San Gallo den freigelegten Laokoon. Julius II. gibt den Grabmalsplan auf.
17. April: Michelangelo verläßt Rom und erbietet sich, in Florenz am Grabmal weiterzuarbeiten. Julius II. lehnt ab. Nach seinem Einzug in Bologna fordert er Michelangelo auf, für ihn in Bologna zu arbeiten. Michelangelo lehnt das Angebot des Sultans Bajasid II., eine Brücke zu bauen, ab.
Ende November: Versöhnung mit Julius II. in Bologna.
Dezember: Die *Bronzestatue Julius' II.* wird begonnen.

1508 15. Februar: Die *Bronzestatue Julius' II.* vollendet. Wird am 21. Februar über dem Portal von San Petronio aufgestellt.
März: Berufung nach Rom zur Ausmalung der Cappella Sistina.
10. Mai: Beginn der Arbeit in der Kapelle.
6. November: Der Bronze-David ist fertiggestellt. Benedetto da Rovezzano hat ihn vollendet. Die Statue gelangt nach Frankreich, zuerst nach Blois, dann in das Schloß von Bury und im 17. Jahrhundert in das Château de Villeroy. (Von dort ist sie verschwunden.)

1510 April: Der Bruder Lionardo stirbt. Michelangelo reist im September und Dezember über Florenz nach Bologna zum Papst.

1511 7. Januar: Wieder in Rom.
30. Dezember: Die *Bronzestatue Julius' II.* wird zerstört.

1512 Anfang Oktober: Die Deckengewölbe in der Cappella Sistina sind kurz nach der Rückkehr der Medici nach Florenz vollendet.

1513 6. Mai: Mit den Testamentsvollstreckern Julius' II. (gest. am 21. Februar) wird der Vertrag für den zweiten Grabmalsplan geschlossen. Es entstehen *Gefesselter Sklave* und *Sterbender Sklave,* Marmor. Paris, Louvre. Der *Moses* wird entworfen, aber erst nach 1516 vollendet (Rom, San Pietro in Vincoli, *Julius-Grabmal*).

1514 «Christus mit Kreuz» begonnen und verworfen.

1516 19. Mai: Der Bruder Buonarroto heiratet zum zweitenmal. Seine Frau ist Bartolommea di Guezzo della Casa. Von der ersten Frau ist nur der Name, Cassandra di Bernado Puccini, bekannt.
8. Juli: Vertrag über den dritten Plan zum *Julius-Grabmal.*
Ab September: Erste Besprechungen und Pläne über Fassade von San Lorenzo in Florenz.

| | |
|---|---|
| 1517 | Michelangelo bricht in Carrara und Pietrasanta Marmor. Des Bruders Buonarroto Tochter Francesca wird geboren. |
| 1518 | 19. Januar: Vertrag über die Fassade von San Lorenzo.<br>Das Jahr verstreicht mit den Streitigkeiten um die Marmorbrüche in Pietrasanta und Carrara. Reisen nach Pisa und Genua zur Beschaffung von Barken. Straßenbau.<br>Dem Bruder Buonarroto wird ein Sohn, Simone, geboren. |
| 1519 | Arbeiten für das *Julius-Grabmal*: *Sieger* (Marmor. Palazzo Vecchio, Florenz), abgeschlossen 1525; vier unvollendete «Sklaven» bis 1525 (Marmor. Florenz, Accademia delle Belle Arti). Zweite Fassung des *Christus mit Kreuz* (Marmor. Rom, Santa Maria sopra Minerva), vollendet 1520.<br>25. September: Lionardo wird als drittes Kind des Bruders Buonarroto geboren. |
| 1520 | 10. März: Durch eine Breve Leos X. wird der Vertrag über die Fassade von San Lorenzo gelöst.<br>Juli: Dem Bruder Matteo wird eine Tochter geboren, die nach drei Tagen stirbt.<br>Herbst: Verhandlungen über den Plan der mediceischen Grabdenkmäler. |
| 1521 | Beginn der Arbeit an der Sagrestia Nuova und an den Grabmälern des Giuliano und des Lorenzo de' Medici (Florenz, San Lorenzo, Cappella Medici), beendet 1534. Der *Morgen*, Marmor, beendet 1531. |
| 1522 | Die Erben Julius' II. werden ungeduldig und verlangen Rückerstattung des Honorars, das Michelangelo für das *Julius-Grabmal* erhalten hat. Die Schwierigkeiten setzen sich bis 1532 fort. |
| 1523 | Dezember: Der Plan zum Bau der Biblioteca Laurenziana taucht auf. |
| 1524 | Beginn der Arbeiten für die Biblioteca Laurenziana, Vorhalle und Halle. Erste Entwürfe. Für die Medici-Kapelle werden der *Abend* (beendet 1531) und der *Lorenzo* (beendet 1534) begonnen. *Kauernder Knabe*, Marmor, unvollendet. Leningrad, Ermitage (Datierung umstritten). |
| 1525 | Begonnen: *Nacht, Tag* und *Madonna Medici*, vollendet 1534. Vierter Plan zum *Julius-Grabmal*. In diesem Jahr oder etwas später: *Traktat über Augenkrankheiten;* philosophisches Fragment *Wahrheit und Irrtum.* |
| 1527 | 26. April: Aufstand gegen die Medici. Der linke Arm des *David* wird durch einen Steinwurf abgeschlagen und in drei Stücke zerbrochen. Sie werden von Vasari sichergestellt und unter Cosimo I. wieder angesetzt. Der damals gleichfalls beschädigte Mittelfinger der rechten Hand ist eine modernere Restauration. Wenige Wochen später werden die Medici verbannt. |
| 1528 | Des Bruders Buonarroto viertes Kind Buonarroto wird geboren.<br>2. Juli: Der Bruder Buonarroto stirbt an der Pest.<br>3. Oktober: Michelangelo wird eingeladen, an Besichtigungen der Befestigungen teilzunehmen. Von diesem Zeitpunkt an beratend beim Ausbau der Fortifikationen tätig. |
| 1529 | 10. Januar: Michelangelo wird in den Verteidigungsrat der Neun berufen. |

6. April: Michelangelo wird zum Bevollmächtigten Kriegsbaumeister ernannt.

28. Juli bis 9. September: Reise nach Ferrara zur Besichtigung der Festungsanlagen. Michelangelo verspricht Herzog Alfonso ein Werk. Ein Jahr später malt er für ihn die *Leda.*

21. September: Michelangelo verläßt Florenz, nachdem er den Stadthauptmann Malatesta Baglioni als Verräter erkannt und die Regierung vergeblich gewarnt hat. Über Ferrara geht er nach Venedig.

20. November (?): Michelangelo ist nach Florenz zurückgekehrt.

1530 Michelangelo arbeitet heimlich an den Medici-Gräbern. Er malt die *Leda mit dem Schwan.*

Der jüngste Sohn seines verstorbenen Bruders Buonarroto und die Tante Francesca sterben.

12. August: Baglioni hat Florenz verraten. Die Stadt kapituliert. Rückkehr der Medici nach Florenz. Michelangelo verbirgt sich bei einem Freund (oder im Turm von San Niccolò ?), bis ihm der Papst Leben und Freiheit garantiert.

September–Oktober: Michelangelo nimmt die Arbeit an den Medici-Gräbern wieder auf.

Beginn der Arbeit an einem *Apollo* (oder *David*?) für Baccio Valori. Es besteht die Möglichkeit, daß Michelangelo dazu einen bereits als David abbozzierten Block verwandte. Werkgeschichte und Bedeutung dieser Skulptur, mit der er sich auch 1531 beschäftigte, sind völlig ungeklärt (unvollendet. Florenz, Bargello).

1531 *Giuliano* begonnen. Michelangelo arbeitet daran bis 1534.

Juli: Rückkehr der Medici nach Florenz. Alessandro, später ein erbitterter Gegner Michelangelos, wird zum Regenten von Florenz eingesetzt.

1532 29. April: Neuer Vertrag über das *Julius-Grabmal.* Michelangelo lernt auf seiner Romreise Tommaso Cavalieri kennen.

1533 Michelangelo trägt sich mit dem Gedanken, endgültig nach Rom zu gehen. Er ist nur von Juni bis Oktober in Florenz.

1534 Mai–Juni: Michelangelo kehrt zum letztenmal nach Florenz zurück. Der Vater Lodovico stirbt in Settignano.

20. September: Michelangelo verläßt Florenz für immer, gerade rechtzeitig, denn zwei Tage nach seiner Ankunft in Rom, am 25. September, stirbt Papst Klemens VII., ohne dessen Schutz er dem Haß Alessandros ausgeliefert gewesen wäre.

13. Oktober: Paul III. Papst. Michelangelo erhält den Auftrag, in der Sixtinischen Kapelle *Das Jüngste Gericht* zu malen.

1535 1. September: Michelangelo wird zum Obersten Architekten, Bildhauer und Maler des Vatikans ernannt.

1536(?) Erste Begegnung mit Vittoria Colonna.

1538 Michelangelos Nichte Francesca heiratet Michele di Niccolò Guiccardini.

In diesem Jahr finden die Gespräche über die Malerei mit Vittoria Colonna statt, die Francesco de Hollanda aufgezeichnet hat.

Erste Entwürfe für den Kapitolsplatz (?).

| | |
|---|---|
| 1539(?) | *Brutus*, Marmor. Florenz, Museo Nazionale. |
| 1541 | 25. Dezember: *Das Jüngste Gericht* wird enthüllt. |
| 1542 | Das Fresko der *Kreuzigung Petri* in der Cappella Paolina wird begonnen. |
| | Letzter Vertrag über das *Julius-Grabmal.* |
| | *Rahel* und *Lea* für das *Julius-Grabmal* werden begonnen. |
| 1545 | *Julius-Grabmal* und *Kreuzigung Petri* vollendet. |
| | Gespräch mit Giannotti und anderen Freunden über Dante. |
| 1546 | *Bekehrung Pauli,* Fresko in der Cappella Paolina begonnen. |
| | Auftrag für den Palazzo Farnese. |
| 1547 | 1. Januar: Ernennung zum Baumeister von San Pietro. |
| | 25. Februar: Vittoria Colonna stirbt. |
| 1548 | 9. Januar: Der Bruder Giovansimone stirbt. |
| 1550 | Michelangelo arbeitet an der *Pietà,* die heute im Dom zu Florenz steht. Er hatte sie für sein eigenes Grabmal bestimmt. Eine ähnliche Pietà-Gruppe, deren Werkgeschichte ungeklärt ist und deren Echtheit angezweifelt wird, befindet sich in Santa Rosalia, Palestrina. Entwürfe zu San Giovanni dei Fiorentini in Rom, einem Kirchenbau, der nie ausgeführt wurde. |
| 1552 | Herzog Cosimo I. von Florenz bemüht sich, Michelangelo zur Heimkehr zu bewegen. |
| | 23. Januar: Durch ein Breve Julius' III. wird Michelangelo in seinem Amt als Bauleiter von San Pietro bestätigt. |
| 1553 | 16. Mai: Der Neffe Lionardo heiratet Cassandra Ridolfi. |
| | 16. Juli: Ascanio Condivis «Vita di Michelagnolo», die einer Selbstbiographie gleichkommt, erscheint. |
| 1554 | Buonarroto, Sohn Lionardos, wird geboren. |
| 1555 | *Pietà Rondanini* begonnen (?), heute im Palazzo Sanseverino-Vimercati in Rom. |
| | März: Der zweite Sohn des Neffen Lionardo stirbt gleich nach der Geburt. |
| | 13. November: Der Bruder Gismondo stirbt. |
| 1556 | Ende September: Reise nach Spoleto. |
| 1558 | Arbeit an dem Holzmodell zur Kuppel von San Pietro. |
| 1560 | Daniele da Volterra betätigt sich auf Befehl Pauls IV. als «Hosenlatzmaler» am *Jüngsten Gericht,* indem er die Blößen der Gestalten übermalt. |
| | Cosimo I. in Rom, Begegnung mit Michelangelo. |
| | Entwurf für die Kirche Santa Maria degli Angeli und für die Porta Pia in Rom. |
| 1564 | 18. Februar: Michelangelo stirbt nachmittags gegen 5 Uhr. |

## Albert Erich Brinckmann

So hat die Bedeutung Michelangelos Grenzen, die wie Festungsmauern sind und keinen Blick hinüber zulassen, Grenzen wie sie so kein anderer genialer Künstler kennt. Innerhalb dieser Begrenzung aber bildet sich die vollkommenste Entwicklung der plastischen Formensprache aus, ohne die von nun an europäische Kunst nicht mehr denkbar ist. Michelangelo selbst, der sich stets als scultore bezeichnete, muß klare Einsicht in eine terrible Einseitigkeit seines Genius besessen haben: nämlich plastische Formen durch und durch belebt zu empfinden. So schuf er in der Skulptur die intenseste menschliche Körperlichkeit, die jemals erlebt wurde und erlebt werden wird. In der Malerei gab er die Essenz dessen, was von nun an Ziel jeder monumentalen Malerei wird: der großartige Mensch. Endlich hat er durch eine ungeheure Anthropomorphisierung der plastischen Bauglieder in Italien die stark gefühlsmäßige Auffassung der Baukunst anstelle der bis dahin wesentlich mathematisch-stereometrischen eingeleitet, damit vor allem auch den gotischen Norden bezaubert.

*Michelangelo. Vom Ruhme seines Genius in fünf Jahrhunderten*

## Carl Gustav Carus

Weniger fühlte ich mich von dem Jüngsten Gericht als von den um ein Bedeutendes früher vollendeten Deckengemälden zur Bewunderung gestimmt. Ja, diese Gestalten zeugen von wahrhaft göttlicher Kraft des Malers, durch höchste Natürlichkeit, Korrektheit und vollkommenstes Beherrschen der Lichtwirkung, so daß man die ursprüngliche Farbenpracht nur erraten kann. Dabei wie empfunden sind diese Sachen, wie schön aneinander geschmiegt die Gruppen von Josef, Mutter und Kind in den seitlichen Räumen; wie höchst gesund sind die Gestalten von Adam und Eva und die Darstellung ihrer Belebung! – Dann die kolossalen Propheten, die frei auf den Simsen und in den Ecken sitzenden Gestalten (besonders eine links neben der Belebung des Adams sitzende nackte jugendliche Männergestalt, ein grünes Gewand über das Haupt geschlagen, wurde mein Liebling); das Helldunkel der tiefen hinter den Bögen sich verbergenden Gestalten – alles ist außerordentlich. – Angelo scheint mir einer von den Menschen, deren innere Fülle im Gemüt und Geist so groß ist, daß sie sich mitzuteilen nicht leicht Gelegenheit finden; sie müssen sich verschließen, und eben dieses Müssen gibt ihnen eine gewisse Härte, durch welche sie dann oft zum Gewaltsamen und Schroffen sich getrieben finden.

*Reise durch Deutschland, Italien und Schweiz*

Herman Grimm

Michelangelos Laufbahn zeigt die aus der freien Kunst in den ständigen Dienst der Fürsten übergehende Tätigkeit der Künstler. Er selbst endete beinahe als Hofarchitekt, Tizian fast als Hofmaler. Was nach ihren Zeiten Großes in den Künsten geschaffen ward, dient fast ausnahmslos der Prachtliebe größerer und geringerer Monarchen. Religiöse Bilder für die geistlichen, weltliche für die weltlichen hohen Herren. Immer kolossaler werden die räumlichen Bedingungen, immer beschränkter die gestattete Zeit, immer bewunderungswürdiger die Geschicklichkeit der Künstler, rasch und brillant zu schaffen. Und deshalb Tizian und Michelangelo in den folgenden Zeiten höchste Vorbilder. Tizian mit seiner Technik, die zunächst bei in der Nähe fast unvermischt nebeneinandergestellten Pinselstrichen dennoch im ganzen ungemeine Effekte erzielte; Michelangelo, indem er durch die Reichhaltigkeit seiner Stellungen für die Bildhauer die Nachahmung der Natur und durch seine grandiosen Bauten für die Architekten eigene Ideen beinahe unnötig machte. Ziemlich alles, was getan worden ist, läßt sich auf Michelangelos und Tizians Tätigkeit zurückführen.

*Michelangelo. 1940*

Friedrich Kriegbaum

Die Werke des Michelangelo Buonarroti fordern eine Art des ästhetischen Aufnehmens, wie sie im abendländischen Kulturkreis die Schöpfungen keines zweiten Künstlers verlangen. Der Unvoreingenommene sieht sich einem dauernden Höchstmaß anspruchsvoller Eigenschaften gegenüber, die nicht einzeln zutage liegen, sondern in einer geheimnisvollen Ganzheitlichkeit noch im kleinsten Teil jedes Einzelwerkes stetig wirksam sind und genossen werden müssen. Die beständig bis zur Übersteigerung entwickelte Schönheit des Körperlichen und Physiognomischen scheint eine jener Eigenschaften zu sein. Des Toskaners Michelangelo Vorstellung von Schönheit, die aus begnadeter Überfülle zu überströmender Verwirklichung geführt wird, entwächst auf der Höhe einer geschichtlichen Entwicklung dem Boden der fruchtbarsten Kunstprovinz Italiens mit dem gesetzlichen Zwang und der Eindeutigkeit eines Naturvorgangs. Die Schönheitsvorstellung der Italiener auf eine so drängende, fordernde Höhe gehoben zu haben, wäre allein ein einzigartiger geschichtlicher Beitrag.

*Michelangelo Buonarroti. Die Bildwerke. 1940*

Hans Mackowsky

Am Eingang der großen Geistesbewegung, die wir Renaissance nennen, steht Dante, an ihrem Ausgang Michelagniolo. Man kann von dem Künstler nicht sprechen, ohne auf den Dichter zurückzudeuten; zu viele Parallelen drängen sich auf. Wie Dante die Kultur der werdenden, so verkörpert Michelagniolo die Kultur der sich vollendenden Renaissance. Ihr scharf ausgeprägtes Individuelles erweitert sich zum Typischen; beider Lebensschicksal erscheint wie die Abbreviatur des Zeitgeschehens selbst. Weithin sichtbar ragen ihre gewaltigen Silhouetten hinaus über den Schwarm derer, die nur in der Literatur- oder der Kunstgeschichte eine Rolle spielen. Dante und Michelagniolo repräsentieren die Menschheit an zwei der wichtigsten Durchgangspunkte ihrer geistigen Entwicklung.

*Michelagniolo. 1947*

Thomas Mann

Welche Ernte, eingebracht mit gewaltigen Armen, in tiefer Schwermut! «La mia allegrezz' è la maninconia», heißt es einmal bei ihm, und wir lesen, erschauernd in Ehrfurcht, ein Sonett, das während der Arbeit am «Jüngsten Gericht», wahrscheinlich auf dem Gerüst, gedichtet ist und sehnsüchtig die Nacht, «des Todes gütig Bild», verherrlicht, sie, aller gekränkter Seufzer letzter Zufluchtsort. Kaum ist die Übergewalt dieser Sehnsucht, der Wunsch, zu schlafen und nicht zu sehen, nicht zu hören, ja Stein zu sein, statt Mensch, «da Schaden doch und Schande weiter währen», – kaum sind sie zu vereinen mit einer Produktivität, deren Energie ohne Maß, und deren strotzende Kraftüberladenheit freilich wohl eben ein Ausdruck der Düsternis ist. Woher aber diese? Woher die durchgehende Lebenstraurigkeit eines vom Himmel mit überwältigender Bildkraft begnadeten Schöpfers? Ich denke, es ist eine ungeheure und drückende, dabei beständig nach dem Reinen, Geistigen, Göttlichen ringende, sich selbst immer als transzendente Sehnsucht deutende Sinnlichkeit, die den Aufschluß gibt. «Von niedrigsten», sagt er, «in höchste Sphären leitet – Mich oft mein Wunsch, der mich im Traume lenkt.» Dieser Wunsch ist Liebe, eine nicht enden wollende, das ganze Leben durchziehende Verliebtheit in das Bild, das Lebendig-Schöne, den Menschenreiz, – eine Ausdauer der Liebeskraft und Fähigkeit zu ihrer seligen Tortur, wie man sie auch bei einigen anderen sensiblen und sinnlich ausharrenden Kraftnaturen, bei Goethe und Tolstoi findet.

*Michelangelo in seinen Dichtungen. 1950*

# BIBLIOGRAPHIE

## 1. *Bibliographien*

PASSERNI, LUIGI: Bibliografia di Michelangelo Buonarroti egli incisori delle sue opere. Florenz 1875

STEINMANN, ERNST, und RUDOLF WITTKOWER: Michelangelo-Bibliographie 1500–1926. Leipzig 1927

STEINMANN, ERNST, und RUDOLF WITTKOWER: Michelangelo im Spiegel seiner Zeit. Leipzig 1930 [Darin Fortsetzung der Bibliographie bis 1930.]

CHERUBELLI, P.: Supplemento alla bibliografia michelangiolesca. In: Michelangelo Buonarroti. Nel IV centenario del Giudizio Universale. Florenz 1942

Eine Gesamtbibliographie der Michelangelo-Literatur der neuesten Zeit fehlt; die meisten Spezialwerke über Michelangelo bieten aber oft recht ausführliche Bibliographien zu ihrem speziellen Thema.

## 2. *Biographien*

### a) Zeitgenössische

Anonymos Magliabecchianus 1541/42. In: Frey, Vite, S. 289 f, 427 f [s. u.]

CONDIVI, ASCANIO: La vita di Michelangelo Buonarroti. Rom 1553 – Neuausg.: Ed. A. F. Gori. Florenz 1746 – Mailand 1928 [Auch in: Frey, Vite (s. u.)]

FREY, KARL: Le vite di Michelangelo Buonarroti scritte da Giorgio Vasari e da Ascanio Condivi con aggiunte e note. Berlin 1874 [= Frey, Vite]

GIOVIO, PAOLO: Michaelis Angeli Vita quam Paulus Iovius episcopus Nucerinus conscripsit. [Vor 1512(?)] In: Frey, Vite

VASARI, GIORGIO: Le Vite de' più eccellenti pittori, scultori e architettori scritte da M. Giorgio Vasari pittore et architetto Aretino. Florenz 1550 [Auch in: Frey, Vite]

VASARI, GIORGIO: La vita di Michelangelo commentata da P. Barocchi. 4 Bde. Florenz 1962

VASARI, GIORGIO: Le Vite de' più eccellenti pittori, scultori e architettori scritte da M. Giorgio Vasari pittore et architetto Aretino. (Questa pubblicazione è stata curata da Paola della Pergola, Luigi Grassi e Giovanni Prevetali. Revisione del testo a cura di Aldo Rosso. Note e bibliografia a cura di Giovanni Previtali e P. Ceschi e Francesco Negri Arnoldi.) 7 Bde. Mailand 1962–1965

### b) Neuere

BAUER, H.: Meißel in Gottes Hand. Der Lebensroman Michelangelo Buonarrotis. Pforzheim 1961

BERTINI, ALDO: Michelangelo fino alla Sistina. Turin 1942

BOTTARI, S.: Michelangelo. Catania 1941

BRANDES, GEORG: Michelangelo Buonarroti. Berlin 1924

BUSCAROLI, R.: Michelangelo. La vita. Bologna 1959

CARLI, ENZO: Michelangelo. Bergamo 1942

DUPPA, RICHARD: The life of Michelangelo Buonarroti with his poetry and letters. London 1807

DVORAK, ROBERT: Die Leiden des Michelangelos. Hamburg 1947
ELLERT, GERHART [d. i. Gertrud Schmirger]: Michelangeolo. Roman. Wien 1959
GOTTI, AURELIO: Vita di Michelangelo Buonarroti narrata con l'aiuto di nuovi documenti. Florenz 1875
GRIMM, HERMAN: Das Leben Michelangelos. Hannover 1860 [Von den vielen Ausgaben empfiehlt sich als beste die von Karl August Laux herausgegebene: Leipzig 1940.]
HARFORD, JOHN SAMUEL: The life of Michael Angelo Buonarroti with translations of many of his poems and letters. London 1857
KNACKFUSS, H.: Michelangelo. Bielefeld 1900
KNAPP, FRITZ: Michelangelo. Stuttgart 1924 (Klassiker der Kunst. 7)
LUDWIG, EMIL: Michelangelo. Berlin 1930
MACKOWSKY, HANS: Michelagniolo. Stuttgart [8] 1947
PAPINI, GIOVANNI: Vita di Michelagniolo nella vita del suo tempo. Mailand 1951 – Dt.: Michelagniolo und sein Lebenskreis. Berechtigte Übertragung von ERNST WIEGAND JUNKER. Düsseldorf 1952
PEMPELFORT, KARL: Furcht und Leidenschaft. Ein Bildnis Michelangelos. Mit 16 Handzeichnungen. Berlin 1940
PERKINS, CHARLES C.: Tuscan Sculptors, their lives, works and times, with illustration from original drawings and photographs. Bd. 2. London 1864
PIACENZA, GIUSEPPE: Vita di Michelagniolo Buonarroti pittore, scultore, architetto e gentiluomo fiorentino. Turin 1812
PRUGEL, ALFRED: Michelangelo Buonarroti. Leben und Ruhm eines Einsamen. Hamburg 1946 (Pioniere der Menschheit, Vorbilder der Jugend. 2)
QUATREMÈRE DE QUINCY, A.: Histoire de la vie et des ouvrages de Michel-Ange Buonarroti. Paris 1835
ROEDER, IRMENGARD VON: Glut aus kaltem Stein. Das Leben Michelangelo Buonarrotis. Stuttgart 1963
ROLLAND, ROMAIN: Das Leben Michelangelos. Hg. von WILHELM HERZOG, Frankfurt a. M. 1922
ROMDAHL, AXEL: Michelangelo. Kopenhagen 1946
SCHIAVO, ARMANDO: La vita e le opere architettoniche di Michelangelo. Rom 1953
SCHOTT, R.: Michelangelo, der Mensch und sein Werk. Gütersloh 1962
SCHUDER, R.: Der Gefesselte. Das Leben Michelangelos 1500–1527. Roman. Berlin 1962
SCHULZ, KAREL: Versteinertes Leid. Ein Michelangelo-Roman. Hamburg 1960 [Übersetzung aus dem Tschechischen von BEDRICH SCHICK.]
SPRINGER, ANTON: Raffael und Michelangelo. Leipzig [3] 1895
STONE, IRVING: Michelangelo. Inferno und Ekstase. Berlin 1963. [Deutsche Übersetzung von Michelangelo, the Agony and the Ecstasy von HANS KAEMPFER.]
SYMONDS, JOHN A.: The life of Michelangelo Buonarroti based on studies in the archives of the Buonarroti family at Florence. London 1893
UGOLINI, L.: Der Titan aus Florenz. Der Roman des Michelangelo Buonarroti. Aus dem Italienischen übersetzt von CARLA SEIDEL. Graz–Wien–Köln 1963
WANSCHER, VILHELM: Vie de Michel-Ange. Kopenhagen 1940

### *3. Kunstgeschichtliche Darstellungen*

ACKERMANN, JAMES S.: The Architecture of Michelangelo. 2 Bde. London 1961

Barocchi, Paola: Mostra dei disegni di Michelangelo. Catalago. Florenz 1962
Barocchi, Paola: Michelangelo e la sua scuola. In disegni di casa Buonarroti e degli Uffizi. Testo. Florenz 1962 (Accademia Toscana di scienze e lettere ‹La Colombaria›. Studi VIII)
Battisti, E.: Il concetto d'imitazione nel cinquecento da Raffael a Michelangelo. In: Commentari VII (1956), S. 86 f
Battisti, E.: Note su alcuni biografi di Michelangelo, Francisco de Hollanda, Vasari, Condivi e Varchi. In: Scritti di storia dell'arte in onore di L. Venturi I (1956), S. 321 f
Baumgart, F., und B. Biagetti: Die Fresken des Michelangelo, L. Sabbatini und F. Zuccari in der Cappella Paolina im Vatikan. Hg. von F. Baumgart und B. Biagetti. Rom 1934
Benkard, Ernst: Michelangelos Madonna an der Treppe. Berlin 1933
Berenson, Bernard: The drawings of the Florentine painters. Chicago [2]1938
Bertini, A.: Michelangelo Buonarroti. In: Grande Dizionario Enciclopedico U T E T. Bd. VIII. S. 670 f
Bettini, S.: Disegni di Michelagniolo. In: Studi in onore di Federico M. Mistroriso. Vicenza 1958. S. 199 f
Beyer, Hermann Wolfgang: Die Religion Michelangelos. Bonn 1926 (Arbeiten zur Kirchengeschichte. 5)
Boeck, W.: Michelangelos Bronze-David und die Pulsky-Statuette im Louvre. In: Mitteilungen des Kunsthistorischen Instituts in Florenz 8 (1957–59), S. 131 f
Bonelli, R.: Da Bramante a Michelangelo. Venedig 1960
Borinski, Karl: Die Rätsel Michelangelos. Michelangelo und Dante. München 1908
Brandi, Karl: Vier Gestalten aus der italienischen Renaissance. Dante, Cola Rienzo, Macchiavelli, Michelangelo. München 1943
Brinckmann, Albert Erich: Michelangelo-Zeichnungen. München 1925
Brinckmann, Albert Erich: Michelangelo, Sistina-Köpfe. Berlin 1936
Brinckmann, Albert Erich: Michelangelo. Vom Ruhme seines Genius in fünf Jahrhunderten. Hamburg 1946 (Geistiges Europa. 16)
Brion, Marcel: Miguel Ángel. Buenos Aires 1948
Brockhaus, Heinrich: Michelangelo und die Medici-Kapelle. Leipzig [2]1911
Burger, Fritz: Studien zu Michelangelo. Straßburg 1907 (Zur Kunstgeschichte des Auslandes. 49)
Cambon, Glauco: Sculptural form as metaphysical conceit in Michelangelo's verse. In: The Sewanee Review 70 (1962), S. 155 f
Chapon, L. L.: Le jugement dernier de Micel-Ange. Paris 1892
Clements, Robert J.: Michelangelo's theory of art. New York 1961
Cozzani, Ettore: Il giudizio universale di Michelangelo. Mailand 1941
Delacre, Maurice: Le dessin de Michel-Ange. Brüssel 1938 (Académie Royale de Belgique, Classe des Beaux Arts, Mémoires. Deuxième Serie. VIII)
Demonts, L.: Musée du Louvre, les dessins de Michel Ange. Paris 1922
Dörken, Eugen: Geschichte des französischen Michelangelobildes. Bochum–Langendreer 1936 [Diss.]
Drachmann Bentzon, Martha: Michelagniolos ufuldendte Arbejder. Kopenhagen 1912 (Studier fra spro-og oldtidsforskning. 88)
Dussler, Luitpold: Michelangelo. Zusammengestellt und erläutert von L. Dussler. [3]1963
Dussler, Luitpold: Die Zeichnungen des Michelangelo. Kritischer Katalog. Berlin 1959

*Die Bücher kosten nur noch ein Fünftel ihres früheren Preises . . .*

EINEM, HERBERT VON: Michelangelo und die Antike. In: Antike und Abendland Bd. 1. Hamburg 1945
EINEM, HERBERT VON: Michelangelos Fresken in der Cappella Paolina. In: Festschrift Kurt Bauch. Hg. von B. HACKELSBERGER, G. HIMMELHEBER, M. MEIER. München und Berlin 1957. S. 193 f
EINEM, HERBERT VON: Michelangelo. Die Pieta im Dom zu Florenz. Stuttgart 1956
EINEM, HERBERT VON: Michelangelo. Stuttgart 1959 (Urban-Bücher. 42)
EYBEL, HANS WERNER: Der Gläubige und Gedichte an Michelangelo. Berlin-Charlottenburg 1961
EYSEN, HEINRICH: Das Weib in den Werken des Michelangelo Buonarroti. Breslau 1902 [Diss.]
FABBRICHESI, A.: Guida della Galleria Buonarroti. Florenz 1865
FERBACH, MANFRED: Das Chaos in der Michelangelo-Forschung. Wien 1957
FERBACH, MANFRED: Die gefälschte Michelangelo Vita Condivis. Wien 1959 (Abhandlungen des Institutes für Michelangelo-Forschung. Serie 1, 1)
FERBACH, MANFRED: Bonnani, Gonzalez, Bottari und Tanucci. Wien 1960 (Abhandlungen des Institutes für Michelangelo-Forschung. Serie 2, 2)
FERBACH, MANFRED: Cosimo I. de' Medici, Vasari und Michelangelo. Wien 1960 (Abhandlungen des Institutes für Michelangelo-Forschung. Serie 2, 1)
FERBACH, MANFRED: Michelangelos Plan für ein ökumenisches Konzil im Jahre 1507. Wien 1959 (Abhandlungen des Institutes für Michelangelo-Forschung. Serie 1: Die Geistige. 6)
FERBACH, MANFRED: Michelangelo und Raffael, 1508–1511. Wien 1960 (Abhandlungen des Institutes für Michelangelo-Forschung. Serie 1, 9)
FERBACH, MANFRED: Michelangelo und der geistige Umbruch der Zeiten. 1. Leonardo da Vinci und Michelangelo, 1505–1514. 2. Julius II., der Feldherr Gottes und sein Grabmal, 1513–1515. Wien 1960 (Abhandlungen des Institutes für Michelangelo-Forschung. Serie 1, 7–8)
FORTUNA, A.: Cronologia Michelangiolesca. In: Il Vasari 17 (1959), S. 50 f, S. 115 f, S. 161 f; Il Vasari 19 (1961), S. 34 f; Il Vasari 21 (1963), S. 30 f, S. 94 f
FREUD, SIGMUND: Der Moses des Michelangelo. Frankfurt a. M. 1964 (Insel-Bücherei. 817)
FREY, DAGOBERT: Michelangelo-Studien. Wien 1920
FREY, DAGOBERT: Michelangelo Buonarroti, ventinove riproduzioni con testo e catalogo. Rom 1923
FREY, DAGOBERT: Michelangelo. Ein Vortrag. Köln 1942
FREY, KARL: Die Handzeichnungen Michelagniolos Buonarroti. 3 Bde. Berlin 1909–1911. Nachtrag von F. KNAPP: 1925
GANTER, JOSEF: Rodin und Michelangelo. Wien 1953
GEYMÜLLER, H. VON: Michelangelo Buonarroti als Architekt. München 1904
GILBERT, C.: 1. Sarasota notebook; 2. A «new» work by Sebastiano del Piombo and an offer by Michelangelo. In: Arte Veneta 15 (1961), S. 33 f
GILBERT, C.: Tintoretto and Michelangelo's «St. Damian». In: The Burlington Magazine 103 (1961), S. 16 f
GIOSEFFI, D.: La cupola vaticana. Triest 1960
GOLDSCHEIDER, LUDWIG: Michelangelo. Gemälde, Skulpturen, Architekturen. Gesamtausgabe. Köln 31956
GORDON, D. J.: Gianotti, Michelangelo and the cult of Brutus. In: FRITZ SAXL, A volume of memorial essays. Edinburgh 1957. S. 281 f
GROHN, H. W.: Die Schule der Welt. Zu Michelangelos Karton der Schlacht bei Cascina. In: Il Vasari 21 (1963), S. 63 f

GROOTE, MAXIMILIAN VON: Die Deutung der Medici-Grabdenkmäler. Straßburg 1927 (Zur Kunstgeschichte des Auslandes. 122)
GRÜNWALD, A.: Über einige Werke Michelangelos in ihrem Verhältnis zur Antike. Wien 1908 (Jahrbuch der Kunsthistorischen Sammlungen Wien. 27, 4)
GUTMANN, H. B.: Michelangelos Botschaft in der Sixtinischen Kapelle. In: Archivum Franciscanum historicum 56 (1963), S. 258 f
HAGELBERG, L.: Die Architektur Michelangelos in ihren Beziehungen zu Manierismus und Barock. In: Münchner Jahrbuch 1931, S. 264 f
HARTT, FREDERICK: Lignum Vitae in Medio Paradisi: The Stanza d'Eliodoro and the Sistine Ceiling. In: The Art Bulletin 32 (1950), S. 115 f, S. 181 f; verteidigt und erweitert in: The Art Bulletin 33 (1951), S. 262 f
HARTT, FREDERICK: The meaning of Michelangelo's Medici Chapel. In: Festschrift für Georg Swarenski. Berlin und Chicago 1951. S. 145 f
HARTT, FREDERICK: Michelangelo. Gemälde. Köln 1965
HAUG, H.: Schongauer et Michel-Ange. In: Cahiers alsaciens d'archeol. d'art et d'hist. 4 (1960), S. 71 f
HEIMERAN, ERNST: Michelangelo und das Porträt. München 1925
IPSER, KARL: Michelangelo, der Künstler-Prophet der Kirche. Mit 160 Abb. und einem Übersichtsplan von der Decke der Sixtinischen Kapelle. Augsburg 1963
IVANOVITS, CONSTANTIN A.: Forschungen über den Bau der Peterskirche zu Rom. Wien 1877
JOHN, R.: Dante und Michelangelo. Das Paradiso Terrestre und die sixtinische Decke. Köln 1959 (Schriften und Vorträge des Petrarca Institutes Köln. 13)
JUSTI, CARL: Michelangelo. Beiträge zur Erklärung der Werke und des Menschen. Leipzig 1900
JUSTI, CARL: Michelangelo. Neue Beiträge zur Erklärung seiner Werke. Berlin 1909
KALLAB, WOLFGANG: Die Deutung von Michelangelos Jüngstem Gerichte. Wien 1903
KLEINER, GERHARD: Die Begegnung Michelangelos mit der Antike. Berlin 1950
KNAPP, FRITZ: Michelangelo. Des Meisters Werke. Stuttgart 1906
KRIEGBAUM, FRIEDRICH: Michelangelo Buonarroti. Die Bildwerke. Berlin 1940
KRIEGBAUM, FRIEDRICH: Michelangelo-Mappen des Kunstwarts. München 1911–1914
LACRETELLE, JACQUES DE [u.a.]: Michelangelo. München–Wien–Basel 1963 (Das Genie und sein Werk)
LANGE, JULIUS: Studien über Michelangelo. Straßburg 1910 (Zur Kunstgeschichte des Auslandes. 76)
LANGE, KONRAD: Der Schlafende Amor des Michelangelo. Leipzig 1898
LAUX, KARL AUGUST: Michelangelos Juliusmonument. Berlin 1943
LEPORINI, H.: Handzeichnungen großer Meister: Michelangelo. Berlin 1941
LINDAHL, GÖRAN: Michelangelos erster Entwurf des Juliusgrabes. In: Konsthistorisk tidskrift 32 (1963), S. 65 f
LISNER, MARGRIT: Michelangelos Kruzifixus aus S. Spirito in Florenz. In: Münchner Jahrbuch für bildende Kunst, F. 3, Bd. 15 (1964), S. 7 f
MACDOUGALL, E. B.: Michelangelo and the Porta Pia. In: Journal of the Society of Architectural Historians 19 (1960), S. 97 f
MANN, THOMAS: Michelangelo in seinen Dichtungen. In: Du, Nr. 10 (1950)
MANCHOT, CARL: Der Christus Michelangelos in S. Maria Sopra Minerva. Hamburg 1898

MARABOTTINI, A.: Il «Sogno» di Michelangelo in una copia scono sciuta. In: Scritti di Storia dell'Arte in onore di L. Venturi I (1956), S. 349 f
MARCUARD, F. VON: Die Zeichnungen Michelangelos im Museum Teyler zu Haarlem. München 1901
MARIANI, VALERIO: Michelangelo e la Facciata di San Pietro. Rom 1943
MELCHIORI, G.: William Blake and Michelangelo. In: Art and Ideas in the 18th century Italy. Rom 1960. S. 114 f
MESSERER, WILHELM: Zur Datierung von Michelangelos Moses. In: Kunstchronik 15 (1962), S. 28 f
MONDRONE, DOMENICO: Divagazioni su Michelangelo. In: La civilità cattolica 115 (1964), S. 539 f
NOACH, A.: The tomb of Paul III. and a point of Vasari (Michelangelo della Porta). In: The Burlington Magazine 98 (1956), S. 376 f
OLLIVIER, E.: Michel-Ange. Paris 1892
OROZCO DIAZ, E.: Barroquisno y religiosidad en el «Juicioffinal» de Miguel Angel. In: Revista de ideas esteticas 21 (1963), S. 121 f, S. 203 f
PAATZ, W.: Giorgione im Wetteifer mit Mantegna, Lionardo und Michelangelo. Heidelberg 1959 (Abhandlungen der Heidelberger Akademie der Wissenschaften. Phil.-hist. Klasse, Jg. 1959, 3)
PANOFSKY, ERWIN: Handzeichnungen Michelangelos. Leipzig 1922
PANOFSKY, ERWIN: The first two projects of Michelangelo's tomb of Julius II. In: The Art Bulletin 19 (1937), S. 561 f
PANOFSKY, ERWIN: The neoplatonic movement and Michelangelo. New York 1939 (Studies in Iconology. 6)
PANOFSKY, ERWIN: Die sixtinische Decke. Leipzig 1921
PAPINI, GIOVANNI: Michelangelo Buonarroti nel IV centenario del «Giudizio Universale» 1541–1941. Hg. von G. PAPINI. Florenz 1942
PARKER, K. T.: Catalogue of the collections of drawings in the Ashmolean Museum: Italian Schools. Oxford 1956
PERRIG, ALEXANDER: Über eine verkannte Michelangelo-Zeichnung. In: Zeitschrift für Kunstgeschichte 23 (1960), S. 19 f
POPE-HENESSY, J.: Michelangelo's Cupid, the end of a chapter. In: The Burlington Magazine 98 (1956), S. 403 f
POPHAM, A. E., und JOHANNES WILDE: The Italian drawings of the XV and XVI centuries in the collection of H. M. the King at Windsor Castle. Hg. von A. E. POPHAM und J. WILDE. London 1949
POPP, ANNY E.: Die Medicikapelle. München 1922
PORTOGHESI, PAOLO, und BRUNO ZEVI: Michelagniolo Architetto. Hg. von P. PORTOGHESI und B. ZEVI unter Mitarbeit von G. C. ARGAN, A. BERTINI, S. BETTINI, R. BONELLI, D. GIOSEFFI und R. PANE. Catalogo delle opere architettoniche di Michelangelo a cura di F. Barbieri e L. Puppi. Turin 1964
REDIG DE CAMPOS, DIOCLETIO: Drei Bedeutungen des Jüngsten Gerichts Michelangelos. In: Röm. Quartalschrift für christliche Altertumskunde und Kirchengeschichte Bd. 59 (1964), S. 23 f
REDIG DE CAMPOS, DIOCLETIO: Un nuovo aspetto della «Pietà» di Michelangelo in San Pietro. In: Fede e arte 11 (1963), S. 98 f
REDIG DE CAMPOS, DIOCLETIO, und B. BIAGETTI: Il Giudizio Universale di Michelangelo. 2 Bde. Mailand [2]1964
RICCI, C.: Michelangelo. Florenz 1921
ROBINSON, J. C.: A critical account of the drawings by Michelangelo and Raffaelo in the Galleries in Oxford. Oxford 1870
SALENGER, MARGARETTA: Michelangelo Buonarroti. Das Jüngste Gericht. Ins Deutsche übertragen von ANNI WAGNER. München–Wien–Basel 1962

SAUERLANDT, MAX: Michelangelo. Königstein 3 1960
SCHECK, HANNS: Michelangelos verborgene Weisheit. Das Mediceer Grab und die Sixtinische Kapelle. In: Die Kommenden 5/17 (1963)
SCHEFFLER, LUDWIG VON: Michelangelo, eine Renaissancestudie. Altenburg 1896
SCHIAVO, ARMANDO: Michelangelo Architetto. Rom 1949
SCHROETER, MANFRED: Michelangelo. Sixtinische und Mediceische Kapelle. Gesamtbetrachtung seiner Hauptwerke. Leipzig 1913
SCKOMMODAU, H.: Michelangelo und der Neuplatonismus. In: Jahrbuch für Ästhetik und allgemeine Kunstwissenschaft 7 (1962), S. 28 f
SPAHN, MARTIN: Michelangelo und die Sixtinische Kapelle. Berlin 1907
SPRINGER, ANTON: Michelangelo in Rom 1508–1512. Leipzig 1875
SPRINGER, ANTON: Raffael und Michelangelo. Leipzig 1895
STEINMANN, ERNST: Michelangelo im Spiegel seiner Zeit. Leipzig 1930
STEINMANN, ERNST: Die Sixtinische Kapelle. 2 Bde. München 1901–1905
STEINMANN, ERNST: Das Geheimnis der Medicigräber. Leipzig 1907
STEINMANN, ERNST: Portraitdarstellungen des Michelangelo. Leipzig 1913
STRAUSS, G.: Im Zeichen der Sistina. Florentinische Aufzeichnungen. Zürich–Stuttgart 1959
THODE, HENRY: Michelangelo und das Ende der Renaissance. Bd. 1–3. Berlin 1902–03
THODE, HENRY: Michelangelo. Kritische Untersuchungen über seine Werke. Bd. 4–7. Berlin 1908–1913
TOLNAY, CHARLES DE: Michelagniolo. Florenz 1951
TOLNAY, CHARLES DE: Werk und Weltbild des Michelangelo. Zürich 1949
TOLNAY, CHARLES DE: Die Handzeichnungen Michelangelos im Archivio Buonarroti. In: Münchner Jahrbuch 1928, S. 377 f
TOLNAY, CHARLES DE: Die Handzeichnungen Michelangelos im Codex Vaticanus. In: Repertorium für Kunstwissenschaft 1927, S. 157 f
TOLNAY, CHARLES DE: Unknown sketches by Michelangelo (St. Peter). In: The Burlington Magazine 98 (1956), S. 379 f
TOLNAY, CHARLES DE: Michelangelo. Princeton 1938–1960 [Bisher 5 Bände: 1: The Youth of Michelangelo; 2: The Sitine Ceiling; 3: The Medici Chapel; 4: The Tomb of Julius II., 5: The final period, last judgement. Frescoes of the Pauline Chapel. Last Pietas]
TOLNAY, CHARLES DE: Michelangelo Buonarroti. In: Enciclopedia Universale dell'Arte, Bd. IX (1963), Sp. 263 f
TOLNAY, CHARLES DE: Michelangelo Buonarroti, Persönlichkeit und Werk. Mit Beiträgen von CH. DE TOLNAY, MARTIN GOSEBRUCH, LUITPOLD DUSSLER, ERICH HUBALA, FRANZ RAUHUT, FELIX KRALINGER. Bd. 1. Würzburg 1964
VALENTINER, W. R.: Il cupido dormiente di Michelangelo. In: Commentari VII (1956), S. 236 f
VALENTINER, W. R.: Michelangelo's «Cupid» for Jacopo Gallo. In: The Art Quarterly 21 (1958), S. 257 f
VITA ALESSANDRO, DEL.: Michelagniolo e il Vasari. In: Il Vasari 15 (1957), S. 27 f, S. 75 f
WANSCHER, VILHELM: Michelagniolo. Nye Studier. Kopenhagen 1944
WICKHOFF, F.: Die Antike im Bildungsgang Michelangelos. In: Mitteilungen des Institutes für österreichische Geschichtsforschung 3 (1882)
WILDE, JOHANNES: Eine Studie Michelangelos nach der Antike. In: Mitteilungen des Kunsthistorischen Instituts Florenz IV (1932/34)
WILDE, JOHANNES: The decoration of the Sixtine Chapel. In: Proceedings of the British Academy 44 (1958), S. 61 f

WILDE, JOHANNES: Notes on the genesis of Michelangelo's Leda. In: FRITZ SAXL, A volume of memorial essays. Edinburgh 1957. S. 270 f
WILDE, JOHANNES: Italian drawings in the Department of Prints and Drawings in the British Museum. London 1953
WILDE, JOHANNES: Cartonetti by Michelangelo. In: The Burlington Magazine 101 (1959), S. 307
WILSON, C. HEATH: Life and works of Michelangelo Buonarroti. London 1876
WITTKOWER, RUDOLF: Newly discovered drawings by Michelangelo. In: The Burlington Magazine 77 (1941), S. 159 f
WITTKOWER, RUDOLF: Die Biblioteca Laurenziana. In: The Art Bulletin 16 (1934), S. 123 f
WITTKOWER, RUDOLF: Zur Peterskuppel Michelangelos. In: Zeitschrift für Kunstgeschichte 2 (1933), S. 348 f
WÖLFFLIN, HEINRICH: Die Jugendwerke des Michelangelo. München 1891
WOLFF METTERNICH, F.: Le premier projet pour St. Pierre de Rome; Bramante et Michel-Ange. In: Studies in Western Art 2, S. 70 f

### *4. Quellen*

ALBERTINI, FRANCESCO: Opusculum de mirabilibus novae urbis Romae. Rom 1510
ALBERTINI, FRANCESCO: Memoriale di molte statue et picture nella città di Firenze. 1510 – Neuausg.: Hg. von GAETANO MILANESI. 1863
BARBIERI, FRANCO, und LIONELLE PUPPI [Hg.]: Tutta L'Architetture di Michelangelo. Mailand 1964
BERGER, A. M.: Der von Michel Angelo Buonarroti eigenhändig geschriebene Augentractat. München 1897
BERTOLOTTI, A.: Documento intorno a Michelangelo Buonarroti trovati ed esistenti in Roma. In: Archivio storico artistico archeologico e letterario della città e provincia di Roma I (1875)
BOYER d'AGEN: L'Œuvre littéraire de Michel-Ange, d'après les archives Buonarroti etc. traduites par Boyer d'Agen. Paris 1911
CARLI, ENZO: Tutta la Pittura di Michelangelo, a cura di Enzo Carli. Mailand 4 1964
CARDEN, ROBERT W.: Michelangelo, a record of his life told in his own letters and papers. London 1913
CIOMPI, SEBASTIANO: Lettera di Michelangelo Buonarroti. Florenz 1834
DAELLI, D.: Carte Michelangiolesche inedite. Mailand 1865
DORMOY, MARIE: Lettres de Michel-Ange traduites en français intégralment et pour la première fois par Marie Dormoy. Paris 1926
ERPEL, FRITZ [Hg.]: Ich, Michelangelo. [Teilsammlung, dt.:] Briefe, Dichtungen und Gespräche. Berlin 1964
ESEQUIE: The divine Michelangelo. The Florentine Academy's homage on his death in 1564. A fasc. ed. of Esequie del divino Michelangelo Buonarroti, Florenz 1564, introd., translated and annoted by RUDOLF and MARGOT WITTKOWER. London 1964
FREY, KARL: Michelagniolo Buonarroti, Quellen und Forschungen zu seiner Geschichte und Kunst. I: Michelangelos Jugendjahre. Berlin 1907 [= Frey, Quellen]
FREY, KARL: Die Briefe des Michelagniolo Buonarroti, übersetzt von Karl Frey. Berlin 1907 (2 1914) [= Frey, Briefe] – Mit erweiterten Anmerkungen neu hg. von HERMAN-WALTHER FREY. Berlin 3 1961

FREY, KARL: Die Dichtungen des Michelagniolo Buonarroti. Hg. und mit kritischem Apparate versehen von Karl Frey. Berlin 1897 [= Frey, Dichtungen] – Mit einer Vorbemerkung von HUGO FRIEDRICH und mit erweitertem Apparat neu hg. von HERMAN-WALTHER FREY. Berlin [2]1964
FREY, KARL: Sammlung ausgewählter Briefe an Michelagniolo Buonarroti nach dem Originale des Archivio Buonarroti hg. von Karl Frey. Berlin 1899
GASPARONI, FRANCESCO: Storia di Michelangelo Buonarroti pittore scultore e architettore fiorentino narrata per diversi autori con appendice di molta lettere scritte dal medesimo. Rom 1853
GIANOTTI, DONATO: De giorni che Dante consumò nel cercare l'Inferno e l'Purgatorio, dialogi di Messer Donato Gianotti ora per la prima volta pubblicati. Hg. von FILIPPE-LUIGI POLIDORI. Florenz 1859
GIRARDI, ENZO NOÈ: Michelangelo Buonarroti, Rime. Bari 1960 (Scrittori d'Italia. 217)
GUASTI, CESARE: Le rime di Michelangelo Buonarroti, cavate dagli autografi e pubblicati da C. Guasti. Florenz 1873
HARRYS, HERMANN: Michelangelos und Raffaels Gedichte. Hannover 1868
HASENCLEVER, SOPHIE: Sämtliche Gedichte Michelangelo's in Guasti's Text mit deutscher Übertragung. Leipzig 1875
HOLLANDA, FRANCESCO DE: Vier Gespräche über die Malerei zu Rom 1538. Originaltext mit Übersetzung, Einleitung, Beilagen und Erläuterungen von JOAQUIM DE VASCONCELLOS. Wien 1899
HOLROYD, CHARLES: Michel Angelo Buonarroti, with translations of the life of the master by his scholar Ascanio Condivi and three dialogues from the potuguese by Francisco d'Ollanda. 1803
KELLER, HARALD [Hg.]: Handzeichnungen. Michelangelo Buonarroti. Nachwort von HARALD KELLER. Die Auswahl der Tafeln besorgte DIETHER SCHMIDT. Frankfurt a. M. 1965 (Insel-Bücherei. 444)
KOCH, HEINRICH: Gedanken eines Einsamen. Der unbekannte Michelangelo in Rede und Prosa. Hamburg 1942
KOCH, HEINRICH: Michelangelo. Briefe, Gedichte, Gespräche ausgewählt, eingeleitet und übersetzt von Heinrich Koch. Frankfurt a. M.–Hamburg 1957 (Fischer-Bücherei. 169)
KOMMERELL, MAX: Michelangelo, Dichtungen. Frankfurt a. M. 1931
LANDUCCI, LUCA: Diario fiorentino dal 1430–1516. Florenz 1883
MAURENBRECHER, WOLF: Die Aufzeichnungen des Michelangelo Buonarroti im Britischen Museum in London und im Vermächtnis Ernst Steinmann in Rom. Nach den Urschriften hg. von Wolf Maurenbrecher. Leipzig 1938 [= Maurenbrecher]
MILANESI, GAETANO: Les correspondants de Michel-Ange. I: Sebastiano del Piombo, texte italien publié pour la première fois par G. Milanesi avec traduction française par A. Le Pileur. Paris 1890
MILANESI, GAETANO: Le lettere di Michelangelo Buonarroti edite ed inedite pubblicate coi ricordi ed i contratti artistici per cura di G. Milanesi. Florenz 1875 [= Milanesi]
NELSON, HEINRICH: Michelangelo, Dichtungen. Jena 1938
PAPINI, GIOVANNI: Lettere di Michelangelo Buonarroti. Lanciano 1910
PODESTÀ, BARTOLOMEO: Documenti inediti relativi a Michelangelo Buonarroti. In: Il Buonarroti, Scritti sopra le arti e le lettere di Benvenuto Gasparoni, X. Rom 1875
RAMSDEN, E. H.: The letters of Michelangelo. 2 Bde. London 1963
REDSLOB, EDWIN: Michelangelo, Gedicht und Zeichnung. Potsdam 1944

REDSLOB, EDWIN: Michelangelo Buonarroti, Sonette, italienisch und deutsch, übersetzt und hg. von Edwin Redslob. Heidelberg 1964

REGIS, GOTTLOB: Michel Angelo Buonarroti's des Älteren, sämmtliche Gedichte italiänisch und deutsch. Berlin 1842

RILKE, RAINER MARIA: Dichtungen des Michelangelo übertragen von Rainer Maria Rilke. Wiesbaden [2]1957 (Insel-Bücherei. 496)

ROBERT-TORNOWW, WALTER: Die Gedichte des Michelangelo Buonarroti. Berlin 1906

RUSSOLI, FRANCO: Tutta la scultura di Michelangelo a cura di F. Russoli. Mailand [3]1962

SCHIMMERER, ADOLF: Michelangelo Buonarroti. Michelangelos Weltgericht in 45 Bildern. Einführung von Adolf Schimmerer. München [2]1958 (Piper-Bücherei. 29)

STEINMANN, ERNST, und H. POGATCHER: Dokumente und Forschungen zu Michelangelo. In: Repertorium für Kunstwissenschaft 29 (1906)

STEINMANN, ERNST: Michelangelo e Luigi del Riccio con documenti inediti. Florenz 1932

THODE, HENRY: Michelangelos Gedichte in deutscher Übertragung. Berlin 1914

TOLOMEI, CLAUDIO: Delle lettere di Michelangelo. Neapel 1829

TUSIANI, JOSEPH: The complete poems of Michelangelo. New York 1960

WOLF, ROSINA: Documenti inediti su Michelangelo. Rom–Budapest 1931

## ÜBER DEN AUTOR

HEINRICH KOCH, geboren 1908 in Geestemünde. Studium: Kunstgeschichte, Jura (internationales Privatrecht), Sprachen, Geschichte. 1929–1934 Sekretär der Académie Internationale de Droit Comparé. Nach Emigration seines Lehrers Elemér Balogh, des Generalsekretärs der Akademie, Korrespondent der Berliner Börsenzeitung. 1938/39 Dramaturg bei Heinrich George, Schiller Theater, Berlin. 1939–1942 Feuilleton-Redakteur des Hamburger Tageblatts; 1942–1943 Dramaturg der UFA Film GmbH; 1943–1945 Chefdramaturg und Künstlerischer Leiter der Prag-Film. Nach 1945: publizistisch für Presse, Funk, Fernsehen tätig; rechtswissenschaftlicher Gutachter.

Publikationen: Essays über Gotthold Ephraim Lessing, Karl Philipp Moritz und Karl Postl in: Günter Stöve, Wir wollen nicht vergessen sein, Bayreuth 1936; Gedanken eines Einsamen / Der unbekannte Michelangelo in Rede und Prosa, Hamburg 1942; Die zureichende Methode in: Karl Korn, Übergänge, Berlin 1946; Michelangelo / Briefe, Gedichte, Gespräche, Frankfurt a. M. 1957; Hörspiele, Funk-Essays, TV-Dokumentarfilme.

# NACHTRAG*

## 1. *Bibliographien, Forschungsberichte*

DUSSLER, LUITPOLD (Hg.): Michelangelo-Bibliographie 1927–1970. Wiesbaden 1974 (Fortsetzung der Michelangelo-Bibliographie 1500–1926 hg. von ERNST STEINMANN und RUDOLF WITTKOWER)

ISERMEYER, CHRISTIAN ADOLF: Das Michelangelo-Jahr 1964 und die Forschungen zu Michelangelo als Maler und Bildhauer von 1959–1965. In: Zeitschrift für Kunstgeschichte 28 (1966), S. 307–352

MELLER, PETER: Michelangelo-Bibliographie. In: TOLNAY, CHARLES DE (Mitarb.): Michelangelo, Bildhauer, Maler, Architekt, Dichter. Wiesbaden 1966. S. 589–599

Atti del Convegno di studi michelangioleschi, Firenze–Roma 1964. Roma 1966

Stil und Überlieferung in der Kunst des Abendlandes. Akten des 21. Internationalen Kongresses für Kunstgeschichte in Bonn 1964. Bd. 2: Michelangelo. Berlin 1967

## 2. *Untersuchungen*

### a) Zur Biographie

CONDIVI, ASCANIO: Das Leben des Michelangelo Buonarotti. Neudr. der Ausg. 1874. Osnabrück 1970 (Quellenschriften zur Kunstgeschichte und Kunsttechnik des Mittelalters und der Renaissance. 6)

LAPOUGE, GILLES: Michelangelo und seine Welt. Paris–Genf 1973

BLAŽIČEK, OLDŘICH J.: Michelangelo. Bayreuth 1977

SEDLMAYR, HANS: Größe und Elend des Menschen: Michelangelo, Rembrandt, Daumier. Wien 1948

STONE, IRVING: Michelangelo. Biographischer Roman. Reinbek 1977 (rororo. 4031)

### b) Allgemeines

EINEM, HERBERT VON: Michelangelo. Bildhauer, Maler, Baumeister. Berlin 1973

– Michelangelos Künstlertum. Bonn 1966 (Bonner akademische Reden. Neue Zählung 32)

ERPEL, FRITZ: Michelangelo. 2. Aufl. Berlin 1976

GIANNOTTI, DONATO: Gespräche mit Michelangelo. 2 Dialoge über die Tage, in denen Dante Hölle und Fegefeuer durchwanderte. 1. vollst. deutsche Übertragung. Amsterdam 1968 (Castrum peregrini. 84/85)

HIBBARD, HOWARD: Michelangelo. New York 1974

KELLER, HARALD: Michelangelo. Bildhauer, Maler, Architekt. Frankfurt a. M. 1976

---

* Wegen der Fülle an Sekundärliteratur konnte nur eine Auswahl von neueren Büchern genannt werden. Ansonsten wird auf die ausführliche, mit Anmerkungen und Wertungen versehene Bibliographie von DUSSLER, s. o., hingewiesen.

Michelangelo heute. Berlin 1965 (Wissenschaftliche Zeitschrift der Universität Berlin, Gesellschafts- und sprachwissenschaftliche Reihe. Jg. 14 [1965], Sonderband)
Omaggio a Michelangelo ... (aus Anlaß seines 500. Todestages 1975). München 1975
PERRIG, ALEXANDER: Michelangelo-Studien. Bd. 1.3. Frankfurt a. M.–Bern 1976 (Kunstwissenschaftliche Studien. Bd. 1.3) [Zugl. Phil. Hab. Schr. Hamburg 1967]
SALMI, MARIO: Michelangelo. Discorso tenuto nella seduta a classi riunite del 14 marzo 1965. Roma 1966 (Accademia Nazionale dei Lincei, Rome. Problemi attuali di scienza e di cultura. Quaderno. no 74)
SCHOTT, ROLF: Michelangelo. Köln 1975
TOLNAY, CHARLES DE (Mitarb.): Michelangelo. Bildhauer, Maler, Architekt, Dichter. Wiesbaden 1966
UEHLI, ERNST: Leonardo – Michelangelo – Raffael und die geistigen und kulturellen Grundlagen der italienischen Renaissance. Dornach 1967
WADLEY, NICHOLAS: Michelangelo. 4. ed. New York 1974

c) Zu einzelnen Themen

ALKER, HERMANN REINHARD: Michelangelo und seine Kuppel von Sankt Peter in Rom. Karlsruhe 1968
BECK, JAMES H.: Michelangelo. A lesson in anatomy. New York 1975
EINEM, HERBERT VON: Die Medicimadonna Michelangelos. (Mit Illustr.) Opladen 1973 (Vorträge der Rheinisch-westfälischen Akademie der Wissenschaften. Geisteswissenschaften. G 190)
GOTTSCHALK, HEINZ: Michelangelos Entwürfe für die Kirche San Giovanni de' Fiorentini in Rom. Mit 18 Abb. Den Haag 1968
HAUSSHERR, REINER: Michelangelos Kruzifixus für Vittorio Colonna. Bemerkungen zu Ikonographie und theologischer Deutung. Opladen 1971 (Wissenschaftliche Abhandlungen der Rheinisch-westfälischen Akademie der Wissenschaften. Bd. 44)
KUHN, RUDOLF: Michelangelo – Die sixtinische Decke. Beiträge über ihre Quellen und zu ihrer Auslegung. Göttingen 1975 (Beiträge zur Kunstgeschichte. 10)
MANCUSI-UNGARO, HAROLD R.: Michelangelo. The Bruge Madonna and the Piccolomini Altar. New Haven 1971 (Yale College Series. 11)
SCHMIDT, HEINRICH, und HANS SCHADEWALDT: Michelangelo und die Medizin in seiner Zeit. Stuttgart 1965
SEYMOUR, CHARLES: Michelangelo's David. A search for identity. New York 1974
STEINBERG, LEO: Michelangelo's last paintings. The Conversion of St. Paul and the Cruzifixion of St. Peter in the Cappella Paolina. London 1975
UTZ, HILDEGARD: Der wiederentdeckte Herkules des Michelangelo. München 1975
ZAMBONI, GIUSEPPE: Michelangelo als Dichter. Basel, Stuttgart 1965 (Vorträge der Aeneas-Silvius-Stiftung an der Universität Basel. 4)

### *3. Quellen*

Il Carteggio di Michelangelo. Edizione postuma di Giovanni Poggi, a cura di Paola Barocchi e Renzo Ristori. [Bisher fünf Bände erschienen.] Firenze [seit 1965]

# NAMENREGISTER

*Die kursiv gesetzten Zahlen bezeichnen die Abbildungen*

## QUELLENNACHWEIS DER ABBILDUNGEN

Alinari: Umschlag-Vorderseite, 6, 27, 33, 36, 37, 39, 40, 44, 49, 51, 57, 60, 65, 66, 86, 104, 105, 115, 136, 137, 139, 142, 159, 160, 162 / Ullstein-Bilderdienst, Berlin: 8/9, 91 / Historisches Bildarchiv, Bad Berneck: 11, 35, 93, 118 / Andersen: 14, 45, 61, 102, 110, 111, 158 / Archiv für Kunst und Geschichte, Berlin: 17, 96, 132, 155 / Curt Oertel: 20, 21 / Rowohlt-Archiv, Reinbek bei Hamburg: 28, 32, 47, 62, 74, 80, 94, 95, 99, 107, 113, 119, 125, 128, 130 oben, 130 unten, 141, 148, 149, 152 / Brogi: 46, 48, 53, 109, 116, Umschlag-Rückseite / Ullstein-Artmann: 58 / British Museum: 72, 156 / Mauerbrecher: 82, 121 / Giraudon: 101